auggie & eu

três histórias extraordinárias

Auggie & Eu

três histórias EXTRAORDINÁRIAS

O capítulo do Julian – Plutão – Shingaling

R.J. Palacio

Tradução de Rachel Agavino

intrínseca

ARTE DE CAPA
Tad Carpenter

LETTERING
Cortesia Shutterstock

DIAGRAMAÇÃO E ADAPTAÇÃO DE CAPA E DE IMAGENS DO MIOLO
ô de casa

TÍTULO ORIGINAL
Auggie & Me

PREPARAÇÃO
Isabela Fraga
Marcela de Oliveira
Pedro Staite

REVISÃO
Carolina Rodrigues
Isis Batista
Juliana Pitanga
Luisa Ulhoa
Juliana Werneck
Thaís Nacif

CIP-BRASIL. CATALOGAÇÃO-NA-FONTE
SINDICATO NACIONAL DOS EDITORES DE LIVROS, RJ

P176a

Palacio, R. J.
Auggie & eu / R. J. Palacio ; tradução Rachel Agavino. - 1. ed. - Rio de Janeiro: Intrínseca, 2015.

320 p. ; 23 cm.
Tradução de: Auggie & me
ISBN 978-85-8057-841-6

1. Ficção americana. I. Agavino, Rachel. II. Título.

15-25423 CDD: 028.5
CDU: 087.5

[2015]

EDITORA INTRÍNSECA LTDA.
Rua Marquês de São Vicente, 99/3º andar
22451-041 — Gávea
Rio de Janeiro — RJ
Tel./Fax: (21) 3206-7400
www.intrinseca.com.br

Dedico este livro às meninas que cresceram e se tornaram Marta, Lisa, Lee, Carol, Fauzia, Meg e todas as minhas queridas e amadas amigas. Obrigada por me tornarem quem eu sou hoje.

— RJP

Sumário

Você sabe o que é ser criança? É ser algo muito diferente do homem de hoje. É ter um espírito ainda pingando com as águas do batismo; é acreditar no amor, acreditar na delicadeza, acreditar na crença; é ser tão pequeno que os elfos alcançam seu ouvido para sussurrar; é transformar abóboras em carruagens, e ratos em cavalos, humildade em altivez, e nada em tudo, porque cada criança tem uma fada madrinha em sua alma; é viver numa casca de nós e se acreditar o rei do espaço infinito.

— Francis Thompson, "Shelley"

Introdução

"Você vai escrever uma sequência para *Extraordinário?*", pergunta alguém na plateia.

"Não, sinto muito", respondo, um pouco constrangida. "Não acho que seja o tipo de livro que deixe espaço para uma sequência. Gosto de pensar que os fãs de *Extraordinário* vão imaginar sozinhos o que acontecerá depois com Auggie Pullman e com todas as outras pessoas do universo dele."

Esse diálogo, ou algo bem semelhante, se repetiu em todas as noites de autógrafo, palestras ou leituras que fiz desde o lançamento de *Extraordinário*, em 14 de fevereiro de 2012. Provavelmente foi a pergunta mais recorrente, depois de "Vão fazer um filme de *Extraordinário?*" e "O que inspirou você a escrever *Extraordinário?*".

E aqui estou, escrevendo a introdução de um livro que, para todos os fins, é um complemento a *Extraordinário*. Então como exatamente isso aconteceu?

Para responder a essa pergunta, devo falar um pouco de *Extraordinário*. Se você comprou ou ganhou este livro, provavelmente já leu a história, então não preciso entrar em detalhes. Basta dizer que é sobre um menino de dez anos chamado Auggie Pullman, que nasceu com uma deficiência craniofacial e que enfrenta os altos e baixos de ser um aluno novo na escola Beecher Prep. Acompanhamos essa jornada pela perspectiva dele e de vários personagens que passam pela sua vida ao longo desse ano crucial, cujas observações ajudam o leitor a compreender o processo de autoaceitação de Auggie. Não vemos o ponto de vista dos personagens cujas histórias não acrescentam diretamente à de Auggie durante aquele ano letivo ou cuja compreensão de Auggie é tão limitada que não lança uma luz sobre o personagem. Afinal, *Extraordinário* é a história de Auggie do princípio ao fim. E eu fui muito rigorosa neste sentido: quis contar sua história de modo simples e linear. Os personagens que não ajudariam a narrativa a avançar — ou que contariam uma história paralela, anterior ou posterior aos acontecimentos de *Extraordinário* — não ganharam voz no livro.

No entanto, isso não quer dizer que alguns desses personagens não tenham histórias interessantes para contar — histórias que poderiam ter explicado um pouco suas motivações, mesmo que essas revelações não afetassem Auggie diretamente.

E é exatamente aí que entra este livro.

Para deixar claro: *Auggie & eu* não é uma sequência. Não começa onde *Extraordinário* parou. Não continua contando a história do percurso de Auggie Pullman na escola. Na verdade, Auggie é apenas um personagem secundário nestas histórias.

Este livro é, precisamente, uma expansão do mundo de Auggie. As três histórias aqui reunidas — *O capítulo do Julian*, *Plutão* e *Shingaling*, todas originalmente publicadas em e-book — são contadas por Julian, Christopher e Charlotte, respectivamente. São três narrativas completamente distintas, que contam as histórias de personagens que só aparecem nas dos outros ocasionalmente, se é que aparecem. No entanto, todas têm algo em comum: Auggie Pullman. A presença do menino em suas vidas serve como catalisador para as mudanças, sutis ou nem tanto, que cada um deles vivenciou.

Auggie & eu também não é uma sequência no sentido tradicional porque não há continuação da história de Auggie, exceto por um breve avanço para o verão depois do quinto ano, em *O capítulo do Julian*, que fornece um desfecho interessante para a trama Julian/Auggie. Fora isso, os leitores não descobrem o que acontece com Auggie Pullman no sexto ano, no ensino médio ou depois disso. Posso garantir que *esse* livro, a sequência de fato, jamais será escrito. E isso é uma coisa boa, pessoal. Um dos mais belos subprodutos de *Extraordinário* é a incrível *fan fiction* que ele gerou. Os professores estão usando o livro em sala de aula, pedindo aos alunos que entrem no personagem e escrevam seus próprios capítulos como se fossem Auggie, Summer ou Jack. Li histórias sobre Via, Justin e Miranda. Capítulos escritos do ponto de vista de Amos, Miles e Henry. Li até um capítulo muito emocionante escrito por uma criança do ponto de vista de Daisy!

Mas acho que a história mais comovente que li foi sobre Auggie, com quem os leitores parecem se envolver de forma muito afetuosa. Algumas crianças me disseram que tinham certeza de que Auggie seria astronauta quando crescesse. Ou professor. Ou veterinário. Aliás, elas me contam isso com enorme autoridade — quase empírica. Sem rodeios. Sem achismo. Então, quem sou eu para discordar? E por que eu escreveria uma sequência que limitaria todas essas opções? Auggie, até onde sei, tem um futuro brilhante e maravilhoso, com infinitas possibilidades, todas igualmente grandiosas.

Sou realmente abençoada pelo fato de os leitores de *Extraordinário* se sentirem tão próximos de Auggie a ponto de imaginarem como vai ser a vida dele. Sei que entendem que só porque escolhi terminar *Extraordinário* com um dia feliz na vida de Auggie, isso não garante que ele tenha uma vida feliz. Ele certamente tem uma boa dose de desafios pela frente, na vida adulta; altos e baixos, novos amigos, outros Julians e Jacks e, claro, outras Summers. Espero que os leitores intuam, com base em como Auggie se virou durante seu primeiro ano na Beecher Prep, com todas as provações e tribulações, que ele tem dentro de si tudo de que precisa para superar qualquer obstáculo que a vida puser em seu caminho, suportar os desafios que surgirem e desviar os olhares dos curiosos (ou rir deles). E, nos bons e maus momentos, sua família — Isabel, Nate e Via — estará sempre com ele. "A única coisa que conheço que realmente cura as pessoas é o amor incondicional", escreveu Elisabeth Kübler-Ross, e pode ser por isso que Auggie nunca sucumbirá a qualquer ferida infligida por palavras descuidadas dos passantes, ou pelas escolhas de seus amigos. Isso ele tem também — amigos, tanto conhecidos quanto desconhecidos, que ficarão ao seu lado quando ele mais precisar.

No fim, os leitores sabem que *Extraordinário* nunca foi de fato sobre o que acontece com Auggie Pullman. É sobre como Auggie acontece para o mundo.

O que me traz de volta a este livro — ou, mais precisamente, às três histórias de *Auggie & eu*.

Na primeira vez que sugeriram que eu escrevesse esses pequenos e-books, agarrei a oportunidade — mais especificamente em nome de Julian, que foi muito detestado entre os fãs de *Extraordinário*. Até hoje é possível encontrar no Google o "Keep calm e não seja um Julian", já que as pessoas podem fazer os próprios cartazes.

E entendo perfeitamente essa rejeição. Até agora, só conhecemos Julian pela perspectiva de Auggie, Jack, Summer e Justin. Ele é grosseiro. Malvado. O modo como encara Auggie, os apelidos que inventou para ele e suas tentativas de jogar os colegas contra Jack podem ser considerados bullying. Mas qual o fundamento de toda essa raiva? O que há com Julian e por que ele é tão cruel?

Mesmo enquanto eu escrevia *Extraordinário*, sabia que Julian tinha uma história para contar. Mas também sabia que sua história de bullying, ou o que o levava a agir daquela forma, tinha pouca importância para Auggie e não impactaria na narrativa, portanto não pertencia a *Extraordinário*. Afinal, não era para as vítimas de bullying terem compaixão por seus algozes. Mas adorei a ideia de explorar a personalidade de Julian em um livrinho só dele — não para perdoar suas ações, porque são repreensíveis (não há justificativa para o que ele faz com Auggie), mas para entendê-lo melhor. É importante lembrar que Julian ainda é só um garotinho. Sim, ele agiu mal, mas isso não faz dele necessariamente uma "criança má". Nossos erros não nos definem. O mais difícil é aceitar os erros. Julian vai se redimir? Será que ele consegue? Será que ele quer? Essas são as perguntas que faço e respondo em *O capítulo do Julian*, lançando uma nova perspectiva sobre as motivações dele.

A segunda história de *Auggie & eu* é *Plutão*. É narrada do ponto de vista do amigo mais antigo de Auggie, Christopher, que se mudou para outro bairro muitos anos antes dos acontecimentos de *Extraordinário*. *Plutão* oferece um olhar único sobre a vida de Auggie antes da Beecher Prep. Christopher estava lá durante as primeiras dificuldades e decepções que Auggie enfrentou: as terríveis cirurgias, o dia em que Nate Pullman trouxe Daisy para casa, os antigos amigos do bairro, que parecem desaparecer da vida do menino. Agora, mais velho, Christopher encara os desafios de continuar amigo de Auggie: os olhares, as reações constrangidas dos novos amigos. É tentador se afastar de uma amizade quando ela se torna difícil, mesmo nas melhores circunstâncias. E Auggie não é o único que está testando a lealdade de Christopher. Será que ele vai se manter firme ou desistir?

A terceira história é *Shingaling*, contada por Charlotte, a única menina entre as três crianças escolhidas pelo Sr. Buzanfa para fazer parte do comitê de boas-vindas a Auggie. Em *Extraordinário*, Charlotte mantém com Auggie um relacionamento amigável, mas um pouco distante. Ela dá tchauzinho quando o vê, nunca se senta com as crianças que são más com ele, tenta ajudar Jack, mesmo que em segredo. É uma boa menina — quanto a isso não há dúvida —, mas nunca se desvia do caminho para ser mais do que correta. *Shingaling* mergulha na vida de Charlotte Cody durante o quinto ano na Beecher Prep, e os leitores descobrem que havia um monte de outras coisas acontecendo naquele ano sobre as quais Auggie Pullman não sabia: apresentações de dança, meninas malvadas, alianças antigas e novas panelinhas. Maya, Ximena, Savanna e, especialmente, Summer, têm um lugar de destaque em *Shingaling*, que, como *Plutão* e *O capítulo do Julian*, trata da vida de uma criança normal que é transformada por circunstâncias extraordinárias.

Não importa se é sobre Auggie e Julian, Auggie e Christopher ou sobre Auggie e Charlotte; as três histórias de *Auggie & eu* examinam as complexidades da amizade, lealdade e compaixão, e — acima de tudo — exploram os efeitos duradouros da bondade. Muito tem sido escrito sobre o ensino fundamental, os anos pré-adolescência e sobre como esse é um momento na vida das crianças em que quase se espera que sejam cruéis umas com as outras enquanto traçam seu caminho por novas situações sociais por conta própria, muitas vezes sem a supervisão dos pais. Mas eu vejo um lado diferente das crianças — uma tendência à nobreza, um desejo de fazer o que é certo. Acredito nas crianças e em sua capacidade ilimitada de cuidar, amar e querer salvar o mundo. Não tenho dúvidas de que elas nos levarão a um patamar de maior tolerância e aceitação para todos no universo. Para todos os fracassados e desajustados. E para Auggie e eu.

— RJP

O capítulo do Julian

O capítulo do Julian

Uma história EXTRAORDINÁRIA

Seja gentil, pois cada pessoa que você encontra está travando uma grande batalha.

— Ian Maclaren

Antes

Talvez eu tenha criado as estrelas e o Sol e esta casa enorme, mas já não lembro.

— Jorge Luis Borges, "A casa de Asterion"

• • •

O medo não pode machucá-lo mais que um sonho.

— William Golding, *O senhor das moscas*

Normal

Tá bem, tá bem, tá bem.

Eu sei, eu sei, eu sei.

Não fui legal com August Pullman!

Grande coisa. Não é o fim do mundo, gente! Vamos parar com o drama, ok? O mundo é enorme e nem todos são legais sempre. É assim que as coisas são. Então vocês podem, por favor, superar isso? Acho que já está na hora de seguir em frente e cuidar das suas próprias vidas, não acham?

Meu Deus!

Não entendo. Não entendo mesmo. Em um minuto eu sou, tipo, o garoto mais popular do quinto ano. E no minuto seguinte, eu sou... não sei. Não importa. É horrível. Este ano inteiro foi horrível! Para começar, eu queria que Auggie Pullman nunca tivesse vindo para a Beecher Prep! Queria que ele tivesse mantido aquela sua carinha medonha escondida, como em *O fantasma da ópera*, ou algo assim. Use uma máscara, Auggie! Tire seu rosto da minha frente, por favor. Tudo seria bem mais fácil se você simplesmente desaparecesse.

Pelo menos para mim. Na verdade, também não quero dizer que ele tire de letra. Sei que não deve ser fácil para ele se olhar no espelho todos os dias, ou andar pela rua. Mas isso não é problema meu. Meu problema é que tudo está diferente desde que ele entrou na minha escola. As crianças estão diferentes. Eu estou diferente. E isso é um saco.

Eu queria que tudo fosse como era no quarto ano. Nós nos divertíamos tanto, tanto, tanto! Brincávamos de pique-bandeira no pátio e, sem querer me gabar, mas todo mundo queria andar comigo, sabe?

Só estou dizendo. Todos queriam ser minha dupla quando tínhamos trabalhos de estudos sociais. E todo mundo sempre ria quando eu dizia algo engraçado.

Na hora do almoço, eu sempre me sentava com minha turma e nós éramos, tipo, uma turma. Totalmente *uma turma*. Henry. Miles. Amos. Jack. Nós éramos uma turma! Era tão legal! Tínhamos um monte de piadinhas internas. Sinais com as mãos para várias coisas.

Não sei por que isso teve que mudar. Não sei por que todo mundo ficou tão idiota em relação a tudo.

Na verdade, eu *sei* por quê: foi por causa de Auggie Pullman. Foi no momento em que ele apareceu que as coisas deixaram de ser como antes. Tudo era absolutamente normal. E agora está tudo confuso. E é por causa dele.

E do Sr. Buzanfa. Na verdade, a culpa é meio que toda do Sr. Buzanfa.

O telefonema

Lembro que minha mãe fez um grande alarde por causa do telefonema do Sr. Buzanfa. Naquela noite, durante o jantar, ela não parou de falar sobre como aquilo era uma honra. O diretor do ensino fundamental II tinha ligado para perguntar se eu podia fazer parte do "comitê de boas-vindas" a um garoto novo na escola. Uau! Que novidade! Mamãe agiu como se eu tivesse ganhado um Oscar ou algo assim. Ela disse que isso provava que a escola de fato reconhecia quem eram as crianças "especiais", e isso era maravilhoso. Minha mãe nunca tinha encontrado o Sr. Buzanfa porque ele era o diretor do ensino fundamental II e eu ainda estava no I, mas ela não parava de falar, toda animada, sobre como ele tinha sido gentil ao telefone.

Minha mãe sempre foi meio que uma pessoa importante na escola. Ela faz parte de um tal conselho diretor, que eu nem sei o que é, mas parece ser muito importante. Ela também sempre se voluntaria para as coisas. Tipo, ela sempre foi a mãe representante de todos os anos em que estudei na Beecher. Sempre. Ela faz muita coisa pela escola.

Então, no dia em que eu deveria fazer parte do "comitê de boas-vindas", minha mãe me deixou na porta da escola. Ela queria me levar até lá dentro, mas eu falei:

— Mãe, já estou no quinto ano!

Ela entendeu a dica e saiu com o carro antes que eu entrasse no prédio.

Charlotte Cody e Jack Will já estavam no hall de entrada e nós nos cumprimentamos. Jack e eu demos nosso aperto de mãos especial e dissemos oi para o segurança. Depois subimos para a sala do Sr. Buzanfa. Era tão estranho estar na escola sem ninguém lá!

— Cara, a gente podia andar de skate aqui dentro e ninguém ia descobrir! — falei para Jack, correndo e derrapando no chão liso do corredor, depois que o segurança não podia mais nos ver.

— Ah, é — disse Jack, mas notei que, quanto mais perto da sala do Sr. Buzanfa a gente chegava, mais quieto Jack ficava. Na verdade, ele meio que parecia que ia vomitar.

Quando estávamos chegando ao topo das escadas, ele parou.

— Não quero fazer isso! — falou.

Parei ao lado dele. Charlotte já estava lá em cima.

— Vamos! — chamou ela.

— Você não manda na gente! — respondi.

Ela balançou a cabeça e revirou os olhos. Ri e dei uma cutucada em Jack com o cotovelo. A gente adorava implicar com Charlotte Cody. Ela era sempre tão certinha!

— Isso é tão errado! — disse Jack, esfregando o rosto.

— O quê? — questionei.

— Você sabe quem é esse garoto novo? — perguntou Jack.

Neguei com a cabeça.

— Você sabe quem ele é, não sabe? — falou então para Charlotte, erguendo os olhos para ela.

Charlotte desceu as escadas até onde a gente estava.

— Acho que sim — respondeu.

Ela fez uma careta, como se tivesse acabado de provar algo ruim.

Jack balançou a cabeça e depois bateu nela três vezes com a palma da mão.

— Eu sou um idiota por ter concordado com isto! — falou, os dentes trincados.

— Peraí, quem é? — perguntei.

Empurrei o ombro de Jack para fazê-lo olhar para mim.

— É aquele menino chamado August — disse ele. — Sabe, o garoto que tem aquela cara...

Eu não tinha a menor ideia de quem ele estava falando.

— Você está de brincadeira? — disse Jack. — Você nunca viu esse menino? Ele mora no nosso bairro. Vai ao parquinho às vezes. Você tem que ter visto ele. Todo mundo já viu!

— Ele não mora nesse bairro — corrigiu Charlotte.

— Mora, sim! — retrucou Jack, impaciente.

— Não. O *Julian* não mora no bairro — disse ela, tão impaciente quanto ele.

— O que isso tem a ver? — perguntei.

— Esquece! — interrompeu Jack. — Não importa. Acredita em mim, cara, você nunca viu nada como isso.

— Por favor, Jack, não seja mau — falou Charlotte. — Isso não é legal.

— Não estou sendo mau! — retrucou Jack. — Só estou dizendo a verdade.

— Como exatamente ele é? — perguntei.

Jack não respondeu. Apenas ficou parado, balançando a cabeça. Olhei para Charlotte, que franziu a testa.

— Você vai ver — disse ela. — Agora vamos, ok?

Ela se virou, subiu de novo as escadas e sumiu no corredor que levava à sala do Sr. Buzanfa.

— Agora vamos, ok? — falei para Jack, imitando Charlotte perfeitamente. Achei que ele riria disso, mas não funcionou. — Jack, cara, vamos lá! — insisti.

Fingi dar um tapão forte na cara dele. Isso o fez rir um pouco, e ele revidou com um soco em câmera lenta. Então começamos uma rápida brincadeira de "luta", que consiste em um tentar acertar as costelas do outro.

— Vamos, meninos! — chamou Charlotte do alto das escadas. Ela tinha voltado para nos buscar.

— Vamos, meninos! — sussurrei para Jack, e dessa vez ele meio que riu.

Mas, assim que viramos no corredor e chegamos à sala do Sr. Buzanfa, ficamos todos muito sérios.

Quando entramos, a Sra. Garcia nos mandou esperar na sala da enfermeira Molly, que era bem pequena e ficava ao lado da sala do Sr. Buzanfa. Não dissemos nada uns aos outros enquanto esperávamos. Resisti à tentação de fazer um balão com as luvas de látex que estavam na caixa ao lado da mesa de exame, embora soubesse que isso teria feito todos rirem.

Sr. Buzanfa

O Sr. Buzanfa entrou na sala. Era alto, meio magro, com o cabelo grisalho desgrenhado.

— Oi, pessoal — disse, sorrindo. — Sou o Sr. Buzanfa. Você deve ser a Charlotte. — E apertou a mão dela. — E você é...? — perguntou, olhando para mim.

— Julian — respondi.

— Julian — repetiu, com um sorriso. Apertou a minha mão. — E você é Jack Will — falou para Jack, e apertou a mão dele também.

O Sr. Buzanfa sentou-se na cadeira ao lado da mesa da enfermeira Molly.

— Em primeiro lugar, muito obrigado por vocês terem vindo aqui hoje. Sei que está sol e calor lá fora, e vocês provavelmente gostariam de fazer outras coisas. Como tem sido o verão? Tudo bem?

Nós três meio que concordamos com a cabeça, nos entreolhando.

— E como tem sido o seu verão? — perguntei a ele.

— Que gentileza a sua perguntar, Julian! — disse ele. — Tem sido ótimo, obrigado. Embora eu esteja muito ansioso pelo outono. Detesto esse calor. — Ele puxou a camisa. — Estou prontinho para o inverno.

A essa altura, nós três balançávamos a cabeça para cima e para baixo, como idiotas. Não sei por que os adultos se dão ao trabalho de bater papo com crianças. Isso só faz a gente se sentir desconfortável. Quer dizer, pessoalmente, sou muito bom em conversar com adultos — talvez porque eu viaje bastante e já tenha falado com muitos adultos —, mas a maioria das crianças realmente não gosta disso. É assim que as coisas são. Tipo, se eu vejo o pai ou a mãe de algum colega meu e não estamos de fato *na* escola, tento evitar contato visual para não ter que falar com eles. É muito incômodo. Também é superesquisito quando você esbarra em um professor fora do colégio. Tipo, uma vez vi minha professora do terceiro ano em um restaurante com o namorado e fiquei, tipo, *eeeeca!* Não quero ver minha professora saindo por aí com o namorado, sabe?

Enfim, ali estávamos nós, eu, Charlotte e Jack, balançando a cabeça como uns imbecis enquanto o Sr. Buzanfa falava sem parar sobre o verão. Mas finalmente — *finalmente!* — ele chegou aonde queria.

— Então, crianças — disse, batendo as mãos nas coxas. — É muito legal da parte de vocês abrirem mão de sua tarde para fazer isso. Em alguns minutos vou apresentar vocês ao garoto que virá a minha sala, e só quero dar alguns avisos sobre isso antes. Bem, falei um pouco dele para as suas mães... Elas conversaram com vocês?

Charlotte e Jack disseram que sim, mas eu neguei com a cabeça.

— Minha mãe só disse que ele fez um monte de cirurgias — falei.

— Bem, é verdade — respondeu o Sr. Buzanfa. — Mas ela explicou algo sobre o rosto dele?

Preciso confessar que foi nesse momento que comecei a pensar: "Ok, que droga estou fazendo aqui?"

— Bem, eu não sei — falei, coçando a cabeça.

Tentei me lembrar do que minha mãe tinha falado. Não havia prestado atenção. Acho que na maior parte do tempo ela falou sobre como era uma honra eu ter sido escolhido; não enfatizou que havia algo errado com o garoto.

— Ela disse que o *senhor* falou que o menino tinha um monte de cicatrizes e tal. Como se tivesse sido vítima de um incêndio.

— Eu não falei isso — corrigiu o Sr. Buzanfa, levantando as sobrancelhas. — O que eu disse a sua mãe é que o garoto tem uma anomalia craniofacial grave...

— Ah, é, isso, isso — interrompi, porque naquele momento eu lembrei. — Ela usou essa expressão. Ela disse que era como lábio leporino ou algo assim.

O Sr. Buzanfa contraiu o rosto.

— Bem — falou, dando de ombros e inclinando a cabeça ora para um lado, ora para o outro —, é um pouco mais que isso.

Ele se levantou e deu um tapinha no meu ombro.

— Lamento se não deixei isso claro para sua mãe. De todo modo, não quero que esse encontro seja constrangedor para vocês. Na verdade, é justamente por isso que estamos conversando aqui agora. Só queria avisar que esse menino sem dúvida é muito diferente das outras crianças. E isso não é segredo. Ele sabe que é diferente. Nasceu assim. Ele entende isso. É um ótimo garoto. Muito esperto. Muito gentil. Nunca frequentou uma escola normal, porque tinha aulas em casa, vocês sabem, por causa de todas as cirurgias. Então é por isso que quero que vocês o levem para dar uma volta na escola, que o conheçam, sejam seu "comitê de boas-vindas". Se quiserem, fiquem à vontade para fazer perguntas a ele. Falem com ele normalmente. Na verdade, ele é só um garoto normal com um rosto que... vocês sabem, não é tão normal. — Ele olhou para a gente e respirou fundo. — Ah, caramba. Acho que só deixei vocês mais nervosos, não foi?

Balançamos a cabeça. Ele coçou a testa.

— Sabem — disse o Sr. Buzanfa —, uma das coisas que se aprende quando se chega a minha idade é que às vezes uma situação nova surge, e você não tem ideia do que fazer. Não existe um manual que nos diga como agir em todas as circunstâncias da vida, entendem? Então o que sempre digo é que é melhor pecar pela gentileza. Esse é o segredo. Quando você não sabe o que fazer, simplesmente seja gentil. Não tem como dar errado. E foi por isso que pedi a vocês três que me ajudassem aqui, porque suas professoras do ano passado me disseram que vocês são crianças muito legais.

Não sabíamos como responder a isso, então apenas sorrimos como patetas.

— Apenas o tratem como tratariam qualquer criança que tivessem acabado de conhecer — disse ele. — É isso que estou tentando dizer. Ok, crianças?

Concordamos ao mesmo tempo. Idiotas.

— Vocês são demais — falou o Sr. Buzanfa. — Então relaxem, esperem um pouco aqui. A Sra. Garcia virá buscá-los em alguns minutos. — Ele abriu a porta. — E, crianças, sério, obrigado por fazerem isso. Atrai bom carma fazer o bem. É um *mitzvah*, sabiam?

Com isso, ele sorriu, deu uma piscadela e saiu da sala.

Nós três expiramos ao mesmo tempo. Olhamos uns para os outros, de olhos arregalados.

— Ok — disse Jack. — Não sei que porcaria é um carma e não tenho a menor ideia do que é um *mitzvah*!

Isso nos fez rir um pouco, embora fosse uma risada nervosa.

Primeira vista

Não vou entrar em detalhes sobre o que mais aconteceu naquele dia. Só quero dizer que, pela primeira vez na vida, Jack não tinha exagerado. Na verdade, tinha feito o oposto. Existe uma palavra que signifique o oposto de exagerar? "Desexagerar"? Não sei. Mas, com certeza, Jack *não* tinha exagerado sobre o rosto daquele garoto.

Na primeira vez que vi August, bem, tive vontade de cobrir os olhos e sair correndo e gritando. Sei que isso soa cruel, e sinto muito. Mas é verdade. E qualquer um que diga que não teve a *mesma* reação quando viu Auggie Pullman pela primeira vez não está sendo honesto. Sério.

Eu realmente queria ter ido embora assim que o vi, mas sabia que, se fizesse isso, estaria encrencado. Então fiquei olhando para o Sr. Buzanfa e tentei ouvir o que ele estava dizendo, mas tudo o que escutava era blá-blá-blá, blá-blá-blá, porque meus ouvidos queimavam. Na minha cabeça ecoava: *Cara! Cara! Cara! Cara! Cara! Cara! Cara! Cara! Cara! Cara!*

Cara! Cara! Cara! Cara! Cara!

Acho que disse essa palavra para mim mesmo umas mil vezes. Não sei por quê.

A certa altura, ele nos apresentou a Auggie. Ahh! Acho que cheguei a apertar a mão dele. Mil vezes *ahh*! Eu queria dar o fora dali o mais rápido possível e lavar a mão. Mas, antes que eu me desse conta do que estava acontecendo, cruzamos a porta, descemos o corredor e subimos as escadas.

Cara! Cara! Cara! Cara! Cara! Cara! Cara! Cara!

Jack e eu nos entreolhamos enquanto subíamos para as salas de aula. Arregalei bem os olhos e, sem emitir som, falei para ele:

— Sem chance!

Ele respondeu, também só movendo os lábios:

— Eu avisei!

Aterrorizado

Quando eu tinha mais ou menos cinco anos, lembro que estava vendo um episódio de *Bob Esponja* uma noite e passou um comercial que me deixou completamente apavorado. Faltavam poucos dias para o Halloween. Nessa época do ano, passavam muitos comerciais um pouco assustadores, mas esse era um novo terror adolescente do qual eu nunca tinha ouvido falar. De repente, enquanto eu assistia à propaganda, apareceu na tela a cara de um zumbi em close. Bem, eu fiquei totalmente aterrorizado. O tipo de terror que faz você sair correndo da sala, gritando com os braços para cima. A-TERRRRRR-RO-RI-ZAAAAAAAA-DO!

Depois daquilo, fiquei com tanto medo de ver outra vez a cara do zumbi que parei de assistir à TV até o Halloween ter passado e o filme não estar mais em cartaz nos cinemas. Sério, parei de ver TV — de *tão* assustado que estava!

Não muito tempo depois, eu estava brincando com um garoto de quem nem lembro mais o nome. E ele era muito fã de Harry Potter, então começamos a assistir a um dos filmes (eu nunca tinha visto nenhum deles). Bem, quando vi o rosto do Voldemort pela primeira vez, aconteceu a mesma coisa que tinha acontecido com o comercial de Halloween. Comecei a gritar histericamente, berrando como um bebezinho. Foi tão ruim que a mãe do garoto não conseguiu me acalmar e teve que ligar para minha mãe ir me buscar. Minha mãe ficou muito irritada com a mãe do menino por ter me deixado ver o filme, então elas acabaram discutindo, e — para resumir — nunca mais fui brincar lá. Mas, de qualquer forma, entre o comercial de zumbi no Halloween e o rosto sem nariz do Voldemort, fiquei meio abalado.

Pouco depois, infelizmente, mais ou menos na mesma época, meu pai me levou ao cinema. E, lembrem-se, eu tinha só cinco anos. Talvez seis, àquela altura. Não deveria ter sido um problema: o filme que fomos ver era de classificação livre, nada de mais, nem um pouco assustador. Mas um dos trailers foi de *Fada malvada*, um filme sobre fadas demoníacas. Eu sei: fadas são tão ridículas! E, quando penso nisso, não acredito que fiquei tão assustado com aquilo, mas entrei em pânico com o trailer. Meu pai teve que me tirar do cinema porque — mais uma vez! — eu não parava de chorar. Foi tão constrangedor! Quer dizer, medo de fadas? O que viria depois? Pôneis voadores? Bonecos do Fofão? Flocos de neve? Era loucura! Mas lá estava eu, tremendo e gritando ao sair do cinema, o rosto escondido no casaco do meu pai. Tenho certeza de que havia crianças de três anos na plateia olhando para mim como se eu fosse o maior otário!

Mas esta é a questão de ficar apavorado: não dá para controlar. Quando você tem medo, tem medo. E, quando você tem medo, tudo parece mais assustador do que deveria ser — até as coisas que não são. Tudo que dá medo meio que se mistura para criar esse grande sentimento de pânico. É como se você estivesse coberto pela manta do medo, e essa manta fosse feita de cacos de vidro, cocô de cachorro, pus e espinhas sangrentas de zumbi.

Comecei a ter pesadelos terríveis. Todas as noites eu acordava gritando. Cheguei ao ponto de ter medo de ir dormir porque não queria ter outro pesadelo, então comecei a dormir na cama dos meus pais. Gostaria de dizer que foi apenas por algumas noites, mas durou seis semanas. Eu não os deixava apagar a luz. Tinha um ataque de pânico toda vez que começava a ficar com sono. Quer dizer, as mãos começavam a suar de verdade, o coração disparava, e eu começava a chorar e a gritar antes de ir para a cama.

Meus pais me levaram a uma médica de "sentimentos", e só mais tarde entendi que era uma psicóloga especializada em crianças. A

Dra. Patel me ajudou um pouco. Ela disse que eu estava tendo "terrores noturnos", e isso me ajudou a conversar com ela sobre o assunto. Mas acho que o que me fez superar mesmo os pesadelos foram os vídeos de natureza do Discovery Channel que minha mãe trouxe para mim um dia. Uhul para esses vídeos! Todas as noites, colocávamos um deles no aparelho de DVD, e eu pegava no sono ao som de um cara com sotaque inglês falando sobre suricatos, coalas ou águas-vivas.

Por fim, superei os pesadelos. Tudo voltou ao normal. Mas de vez em quando eu tinha o que minha mãe chamava de "pequena recaída". Por exemplo, embora eu adore *Star Wars* agora, na primeira vez que vi *Star Wars: Episódio II*, em uma festa do pijama de aniversário quando eu tinha oito anos, tive que mandar uma mensagem para minha mãe ir me buscar às duas da manhã, porque eu não conseguia dormir: sempre que fechava os olhos, o rosto de Darth Sidious surgia na minha mente. Precisei de três semanas de vídeos de natureza para me recuperar dessa recaída (e depois disso também parei de dormir na casa dos meus amigos por mais ou menos um ano). Então, quando eu tinha nove anos, vi *O Senhor dos Anéis: As duas torres* pela primeira vez e aconteceu a mesma coisa, só que dessa vez levei apenas uma semana para superar o Gollum.

Quando fiz dez anos, no entanto, todos esses pesadelos já tinham praticamente desaparecido. Eu já tinha superado até o medo de ter pesadelos. Tipo, se eu estivesse na casa do Henry e ele dissesse "Ei, vamos assistir a um filme de terror", minha primeira reação não seria pensar: "Não, eu posso ter um pesadelo!" (como costumava ser). Minha primeira reação seria: "Ah, legal! Cadê a pipoca?" Enfim eu podia ver todos os tipos de filme outra vez. Até comecei a me interessar por apocalipse zumbi, e nada disso me incomodava mais. Essa coisa de pesadelo tinha ficado para trás.

Ou pelo menos era o que eu pensava.

Mas aí, na noite depois de conhecer Auggie Pullman, voltei a ter pesadelos. Não dava para acreditar. Não eram apenas sonhos ruins passageiros, mas aqueles pesadelos completos, de acordar gritando com o coração disparado, que eu tinha quando era pequeno. Só que eu não era mais pequeno.

Estava no quinto ano! Tinha onze anos! Isso não deveria mais estar acontecendo comigo!

Mas lá estava eu outra vez — assistindo a vídeos de natureza para me ajudar a dormir.

Foto de turma

Tentei descrever Auggie para minha mãe, mas ela não entendeu até as fotos da escola chegarem por correio. Até então, ela nunca tinha visto August. Estava viajando a trabalho durante o Festival de Ação de Graças, por isso não o viu lá. No Dia do Museu Egípcio, o rosto dele estava coberto por faixas de gaze, que nem uma múmia. E ainda não tinha acontecido nenhum show depois da aula. Então, a primeira vez que minha mãe viu Auggie e *finalmente* começou a entender meus pesadelos foi quando abriu o envelope grande com a foto da minha turma.

Na verdade, foi meio engraçado. Posso dizer exatamente como foi sua reação, porque estava olhando para ela na hora. Primeiro, rasgou a parte de cima do envelope, toda animada, com um abridor de cartas. Depois pegou meu retrato individual. Levou a mão ao peito.

— Ooohn, Julian, você está tão bonito! Estou tão feliz por você ter usado a gravata que sua Grandmère mandou.

Eu estava tomando sorvete na mesa da cozinha, então apenas sorri para ela e concordei.

Em seguida vi quando ela tirou do envelope a foto da turma. No ensino fundamental I, cada turma posava para uma foto com a própria professora, mas no ensino fundamental II é apenas uma foto com todas as turmas de quinto ano: sessenta crianças de pé em frente ao portão da escola. Quinze em cada fileira. Quatro fileiras. Eu estava na última, entre Amos e Henry.

Mamãe olhava para a foto com um sorriso no rosto.

— Ah, aí está você! — falou ela quando me viu.

Continuou olhando para a foto, sorrindo.

— Meu Deus, veja como Miles está grande! E esse é o Henry? Parece que o bigode dele está começando a crescer! E quem é...

Aí ela parou de falar. O sorriso ficou congelado no rosto dela por um ou dois segundos, e então sua expressão se transformou aos poucos em choque.

Ela baixou a foto e olhou para a frente, vidrada. Então voltou a olhar para a foto.

Depois se virou para mim. Não estava sorrindo.

— Esse é o menino de que você tem falado? — perguntou.

Seu tom de voz tinha se transformado completamente.

— Eu avisei — respondi.

Ela voltou a olhar para a fotografia.

— Isso não é só um lábio leporino.

— Ninguém nunca disse que *era* lábio leporino — falei. — O Sr. Buzanfa nunca disse isso.

— Disse, sim. Ao telefone, naquela vez.

— Não, mãe — insisti. — O que ele disse foi "problemas faciais", e você deduziu que ele quis dizer lábio leporino. Mas ele nunca disse isso de verdade.

— Eu poderia jurar que ele falou que o garoto tinha lábio leporino — rebateu ela. — Mas isso é muito pior.

Ela parecia mesmo impressionada. Não tirava os olhos da foto.

— O que exatamente ele tem? Algum atraso de desenvolvimento? Parece que sim.

— Acho que não — respondi, dando de ombros.

— Ele fala direito?

— Ele meio que murmura — respondi. — Às vezes é difícil de entender.

Mamãe deixou a foto na mesa e se sentou. Começou a tamborilar no tampo da mesa.

— Estou tentando adivinhar quem é a mãe dele — falou, balançando a cabeça. — Há tantos pais de alunos novos na escola, não imagino quem seja. Ela é loura?

— Não, tem cabelo escuro — respondi. — Eu a vejo às vezes, quando ela deixa August na escola.

— Ela é... como o filho?

— Ah, não. Não mesmo.

Eu me sentei ao lado da minha mãe e peguei a foto, espremendo os olhos para não ver com muita clareza. Auggie estava na fileira da frente, na ponta esquerda.

— Eu falei para você, mãe. Você não acreditou, mas eu falei.

— Não é que eu não tenha acreditado em você — respondeu ela, na defensiva. — Eu só estou meio... surpresa. Não tinha me dado conta de que era tão grave assim. Ah, acho que sei quem é ela, a mãe dele. Muito bonita, meio exótica, com o cabelo escuro e ondulado?

— O quê? — falei, dando de ombros. — Não sei. Ela é uma mãe.

— Acho que sei quem é — disse minha mãe, assentindo para si mesma. — Eu a vi no encontro de pais. O marido é bonito também.

— Não tenho a menor ideia — falei, balançando a cabeça.

— Ah, coitados! — disse, levando a mão ao coração.

— Agora você entende por que voltei a ter pesadelos?

Ela passou a mão pelo meu cabelo.

— Mas você ainda tem pesadelos? — perguntou.

— Tenho. Não todas as noites, como no primeiro mês de aulas, mas tenho, sim! — falei, jogando a foto na mesa. — Por que ele teve que entrar na Beecher Prep?

Olhei para minha mãe, que não sabia o que dizer. Ela guardou a foto de volta no envelope.

— Aliás, nem pense em botar isso no meu álbum de fotos da escola — falei, elevando a voz. — Você devia queimar essa foto ou algo assim.

— Julian! — exclamou ela.

Então, do nada, comecei a chorar.

— Ah, meu querido! — disse mamãe, meio surpresa.

Ela me abraçou.

— Não consigo evitar, mãe — falei, em meio às lágrimas. — Detesto ter que ver Auggie todos os dias!

Naquela noite, tive o mesmo pesadelo que vinha tendo desde o início das aulas: ando pelo corredor principal da escola e todas as crianças estão em frente aos seus armários, me encarando, cochichando sobre mim quando passo por elas. Subo as escadas até chegar ao banheiro, e aí me olho no espelho. Mas, quando olho meu reflexo, não sou eu que vejo. É Auggie. E então grito.

Photoshop

Na manhã seguinte, ouvi meus pais conversarem enquanto se arrumavam para o trabalho. Eu estava me vestindo para ir à escola.

— Eles deveriam ter preparado melhor as crianças — disse minha mãe. — A escola deveria ter mandado uma carta para a casa ou algo assim, não sei.

— Ora, por favor — rebateu meu pai. — Dizendo o quê? O que poderiam dizer? Tem um garoto feio na sua turma? Ora, por favor!

— É muito mais do que isso.

— Não vamos exagerar, Melissa.

— Você não o viu, Jules — falou minha mãe. — É muito grave. Os pais deveriam ter sido avisados. Eu deveria ter sido avisada! Ainda mais com os problemas de ansiedade do Julian.

— Problemas de ansiedade? — gritei do meu quarto, correndo para o deles. — Vocês acham que eu tenho problemas de ansiedade?

— Não, Julian — falou meu pai. — Ninguém está dizendo isso.

— A mamãe acabou de dizer! — rebati, apontando para ela. — Acabei de ouvir ela falar "problemas de ansiedade". O que foi, vocês acham que tenho problemas mentais?

— Não! — disseram os dois.

— Só porque tenho pesadelos?

— Não! — gritaram eles.

— A culpa não é minha se ele estuda na minha escola! — berrei. — Não tenho culpa se o rosto dele me dá medo!

— Claro que não tem, querido — disse minha mãe. — Ninguém está falando isso. Só quis dizer que, por causa do seu histórico de pesadelos, a escola deveria ter me alertado. Dessa forma, pelo menos eu entenderia melhor o motivo dos seus pesadelos recentes. Saberia o que os desencadeou.

Eu me sentei na beira da cama deles. Meu pai estava com a foto da turma nas mãos e era óbvio que estava olhando para ela.

— Espero que vocês estejam pensando em queimar isso — falei, sem brincadeira.

— Não, querido — disse minha mãe, sentando-se a meu lado. — Não precisamos queimar nada. Veja o que eu fiz.

Ela pegou outra foto na mesinha de cabeceira e me entregou. De início, achei que fosse apenas uma cópia da foto de turma, porque era exatamente do mesmo tamanho e tudo na imagem era igualzinho. Comecei a desviar o olhar com nojo, mas minha mãe indicou um ponto na imagem — o ponto onde Auggie deveria estar! Ele não aparecia na foto.

Eu mal podia acreditar! Não havia nem sinal dele!

Olhei para mamãe, que estava radiante.

— A magia do Photoshop! — disse, alegre, batendo palmas. — Agora você pode olhar a foto e sua memória do quinto ano não vai ficar manchada.

— Isso é tão legal! — falei. — Como você conseguiu?

— Sou muito boa no Photoshop — respondeu ela. — Lembra, no ano passado, como fiz o céu ficar azul em todas as fotos do Havaí?

— Ninguém diria que choveu todos os dias — falou meu pai, balançando a cabeça.

— Ria se quiser — rebateu minha mãe. — Mas agora, quando olho para aquelas fotos, não tenho que me lembrar do tempo ruim que quase estragou nossa viagem. Posso me lembrar dela como as lindas férias que foram! E é exatamente assim que quero que você se lembre de seu quinto ano na Beecher Prep. Ok, Julian? Boas lembranças. Nada de lembranças ruins.

— Obrigado, mamãe! — falei, dando um abraço apertado nela.

Não falei nada, claro, mas, apesar de ela ter mudado o céu para azul-claro nas fotos, a única coisa de que me lembrava da viagem ao Havaí era como chovia e fazia frio enquanto estávamos lá — mesmo com a mágica do Photoshop.

Cruel

Olhe, eu não comecei sendo cruel. Quer dizer, não sou um garoto mau! Claro, às vezes faço brincadeiras, mas não são cruéis. São apenas gozações. As pessoas têm que relaxar um pouco! Ok, talvez às vezes minhas brincadeiras sejam um pouco cruéis, mas só faço esse tipo de brincadeira quando a pessoa não está vendo. Nunca digo na cara nada que possa magoar alguém. Não sou um valentão desse tipo! Não faço bullying, cara!

Atenção, pessoas! Parem de ser tão sensíveis!

Alguns amigos aprovaram todo o lance do Photoshop, e outros, não. Henry e Miles acharam muito legal e quiseram que minha mãe mandasse a foto por e-mail para as mães deles. Amos achou que era "esquisito". Charlotte foi totalmente contra. Não sei o que Jack achou, porque a essa altura ele já tinha passado para o lado negro da força. Parecia que ele tinha abandonado de vez seus amigos naquele ano e só andava com Auggie. Isso me incomodou, porque significava que eu não podia mais andar com ele. De jeito nenhum que eu pegaria a "praga" daquele monstro. Esse foi o nome do jogo que inventei. A Praga. Era simples. Se você tocasse em Auggie e não se lavasse da contaminação, morreria. Todo mundo do quinto ano jogava. Menos Jack.

E Summer.

E isso é estranho. Eu conhecia Summer desde o terceiro ano, e nunca tinha prestado atenção nela, mas nesse ano Henry tinha começado a gostar de Savanna e eles estavam meio que "namorando". Por "namorando" não quero dizer nada como no ensino médio, o que seria tão nojento quanto vômito. Estar "namorando" significa apenas andar juntos, se encontrar nos armários e às vezes ir à sorveteria na Amesfort Avenue depois da escola. Então, primeiro Henry começou a namorar Savanna, e depois Miles começou a namorar Ximena. E eu fiquei meio "Ei, e eu?". Aí Amos disse "Vou chamar Summer para sair", e eu falei "Nem pensar, eu que vou!". E foi assim que eu meio que comecei a gostar de Summer.

Mas o problema foi que Summer, assim como Jack, era do grupo de Auggie. Isso significava que eu não podia sair com ela de jeito nenhum. Eu não podia nem dizer "E aí?" para ela, porque o monstro podia achar que eu estava falando com ele ou algo assim. Então pedi ao Henry que falasse com a Savanna para convidar a Summer para a festa de Halloween na casa dela. Achei que poderia passar um tempo com ela e talvez até chamá-la para sair comigo. Mas isso não funcionou, porque ela acabou saindo cedo da festa. E desde então ela passou todo o tempo com o monstro.

Ok, ok. Sei que não é legal chamar Auggie de "o monstro", mas, como eu disse antes, as pessoas têm que começar a ser um pouco menos sensíveis! É só uma piada, gente! Não me levem tão a sério! Não estou sendo cruel. Só engraçado.

E era só isso que eu estava fazendo, sendo muito engraçado, no dia em que Jack Will me deu um soco. Eu só estava brincando! Implicando.

Eu não esperava *mesmo* por aquilo!

Pelo que me lembro, estávamos nos divertindo juntos e, de repente, ele me acertou na boca sem motivo algum!

Pof!

E eu falei, tipo:

— Aaaaaai! Seu maluco idiota! Você me deu um soco? Você realmente me deu um soco?

Quando me dei conta, estava na sala da enfermeira Molly, com um dos meus dentes na mão, e o Sr. Buzanfa estava lá, e eu o ouvi ao telefone com minha mãe, dizendo que eles iam me levar para o hospital. Dava para ouvir minha mãe gritando do outro lado da linha. Então a Sra. Rubin, a coordenadora, me pôs na traseira de uma ambulância e partimos para o hospital! Uma loucura!

Quando estávamos na ambulância, a Sra. Rubin me perguntou se eu sabia por que o Jack tinha me batido. Eu disse: "Dã, porque ele é completamente louco!" Não que eu conseguisse falar muito, porque meus lábios estavam inchados e tinha sangue em toda a minha boca.

A Sra. Rubin ficou comigo no hospital até minha mãe chegar. Como você pode imaginar, mamãe estava mega-histérica. Chorava dramaticamente sempre que olhava para meu rosto. Tenho que confessar: foi um pouco constrangedor.

Então meu pai apareceu.

— Quem fez isso? — foi a primeira coisa que ele disse, berrando com a Sra. Rubin.

— Jack Will — respondeu ela, com tranquilidade. — Ele está com o Sr. Buzanfa agora.

— Jack Will? — gritou minha mãe, em choque. — Nós conhecemos os Will! Como isso aconteceu?

— Faremos uma investigação completa — respondeu a Sra. Rubin. — No momento, o mais importante é que Julian vai ficar bem...

— Bem? — berrou minha mãe. — Olhe para o rosto dele! Você acha que isso está bem? Não acho que esteja bem. Isso é um absurdo. Que tipo de escola é essa? Achei que as crianças não se socassem em uma escola como a Beecher Prep. Achava que era por isso que pagamos quarenta mil dólares por ano, para que nossos filhos não se machuquem.

— Sra. Albans — interrompeu a Sra. Rubin —, sei que a senhora está chateada...

— Imagino que esse garoto vá ser expulso, certo? — questionou meu pai.

— Pai! — gritei.

— Prometo que vamos lidar com o caso da forma apropriada — respondeu a Sra. Rubin, tentando manter a voz calma. — E agora, se não se importam, vou deixá-los sozinhos. O médico vai voltar e vocês poderão confirmar com ele, mas ele disse que não há nenhum osso quebrado. Julian está bem. Ele perdeu um dente de leite, um molar, mas já estava para cair mesmo. Vão dar alguns analgésicos para ele e vocês deverão aplicar gelo no local. Conversaremos mais pela manhã.

Só então percebi que a saia e a blusa da pobre Sra. Rubin estavam cobertas com meu sangue.

Cara, a boca sangra demais!

Mais tarde naquela noite, quando enfim consegui falar sem sentir dor, minha mãe e meu pai quiseram saber o que aconteceu nos mínimos detalhes, começando com o que eu e Jack estávamos conversando logo antes de ele me bater.

— Jack extava chateado porque fex dupla com o garoto deformado — respondi. — Falei que ele podxia trocar de dupla se quixesse. E aí ele me deu um xoco!

Mamãe balançou a cabeça. Para ela, foi a gota d'água. Ela estava, literalmente, mais furiosa do que eu jamais tinha visto (e, pode acreditar, já vi minha mãe muito furiosa!).

— É isso que acontece, Jules! — falou ela para meu pai, cruzando os braços e balançando a cabeça muito depressa. — É isso que acontece quando você obriga crianças pequenas a lidar com situações para as quais não estão preparadas! Eles são novos demais para serem expostos a coisas assim! Aquele Buzanfa é simplesmente um *idiota*!

Ela disse mais um monte de coisas, mas eram do tipo inapro-pro--pri... (se é que você me entende) para eu repetir.

— Mas, pai, não quero que Jack seja expulxo da excola — falei, mais tarde, quando ele estava colocando mais gelo na minha boca, porque o efeito do remédio que tinham me dado no hospital estava passando.

— Isso não está nas nossas mãos — respondeu ele. — Mas, se eu fosse você, não me preocuparia com isso. Aconteça o que acontecer, Jack sofrerá as consequências.

Tenho que admitir que comecei a me sentir mal por Jack. Quer dizer, claro que ele foi um completo idiota por me bater, e eu queria que ele se encrencasse — mas não que fosse expulso da escola nem nada assim.

Mas dava para ver que mamãe agora estava em uma de suas missões (como meu pai diria). Às vezes ela fica assim, quando se sente tão indignada com alguma coisa que nada é capaz de detê-la. Ela ficou assim há alguns anos, quando uma criança foi atropelada por um carro a algumas quadras da Beecher Prep, e ela fez tipo um milhão de pessoas assinarem uma petição para a instalação de um sinal de trânsito. Aquele foi um momento supermãe. Ela também ficou assim no mês passado, quando nosso restaurante favorito mudou o cardápio e passou a não servir mais meu prato preferido do jeito que eu gostava. Foi outro momento supermãe porque, depois de falar com o novo proprietário do tal restaurante, eles concordaram em fazer o prato de um jeito especial — só para mim!

Mas minha mãe também fica assim por coisas não tão legais, como quando um garçom erra o nosso pedido. Esse é um momento não-tão-supermãe, porque, bem, você sabe, pode ser meio estranho quando sua mãe começa a falar com o garçom como se ele tivesse cinco anos. *Constrangedor!* Além disso, como papai diz, você não vai querer deixar um garçom zangado, sabe? A *sua* comida está nas mãos *dele* — dã!

Então eu não sabia muito bem como me sentia quando me dei conta de que minha mãe estava declarando guerra ao Sr. Buzanfa, a Auggie Pullman e a toda a Beecher Prep.

Seria um momento supermãe ou não-tão-supermãe?

Tipo, podia terminar com Auggie indo para outra escola — uhul! — ou com o Sr. Buzanfa assoando o nariz no meu lanche da cantina — eca!

Festa

Levou quase duas semanas para o inchaço sumir. Por conta disso, acabamos não indo a Paris durante as férias de fim de ano. Minha mãe não queria que nossos parentes me vissem como se eu tivesse participado de uma "luta de boxe". Ela também não tirou nenhuma foto minha nas férias porque dizia que não queria se lembrar de mim daquele jeito. Para nosso cartão de Natal, usamos uma das fotos rejeitadas da sessão do ano anterior.

Embora eu já não tivesse mais tantos pesadelos, o fato de eles terem voltado deixou minha mãe muito preocupada. Eu sabia que ela estava completamente estressada com isso. Então, no dia anterior a nossa festa de Natal, ela ficou sabendo por outra mãe que Auggie não havia passado pelos mesmos testes de admissão que todos nós. Todas as crianças que se inscrevem para a Beecher Prep devem ser entrevistadas e fazer um teste na escola — mas alguma exceção fora aberta para Auggie. Ele não havia ido à escola para a entrevista e fizera os testes de admissão em casa. Minha mãe achou isso muito injusto!

— Esse garoto não deveria ter entrado na escola — disse ela para um grupo de outras mães na festa. — A Beecher Prep simplesmente não está preparada para lidar com situações como esta! Não somos uma escola inclusiva! Não temos os psicólogos necessários para lidar com o efeito disso sobre as outras crianças. O coitado do Julian teve pesadelos durante um mês inteiro!

Ai, mãe! Detesto quando você conta aos outros sobre meus pesadelos.

— Henry também ficou perturbado — disse a mãe dele, e as outras concordaram.

— Eles nem nos prepararam com antecedência! — prosseguiu minha mãe. — É isso que mais me incomoda. Se não vão providenciar apoio psicológico extra, que ao menos avisem aos pais a tempo!

— Claro! — disse a mãe de Miles, e as outras concordaram de novo.

— É óbvio que Jack Will precisa de terapia — falou minha mãe, revirando os olhos.

— Fiquei surpresa que ele não tenha sido expulso — comentou a mãe de Henry.

— Ah, ele seria! — respondeu minha mãe. — Mas pedimos que não fizessem isso. Conhecemos a família Will desde o jardim de infância. São boas pessoas. Na verdade, não culpamos o Jack. Só acho que ele surtou por causa da pressão de ter que cuidar daquele garoto. É o que acontece quando se põem crianças pequenas nesse tipo de situação. Sinceramente, não sei o que o Buzanfa estava pensando!

— Me desculpem, mas tenho que me meter — disse outra mulher (acho que foi a mãe da Charlotte, porque tinha o mesmo cabelo louro brilhoso e os mesmos olhos azuis). — Não há nada de errado com esse menino, Melissa. Ele é um ótimo garoto, que simplesmente tem uma *aparência* diferente, mas...

— Ah, eu sei! — respondeu minha mãe, levando a mão ao coração. — Ah, Brigit, ninguém está dizendo que ele não é um bom garoto, acredite. Tenho certeza de que é. E ouvi dizer que os pais dele são ótimos. A questão não é essa. Para mim, em última análise, o problema foi que o Buzanfa não seguiu o protocolo. Ele claramente ignorou o processo de inscrição ao não chamar o garoto à Beecher Prep para a entrevista ou para fazer o teste, como todos os nossos filhos. Quebrou as regras. E regras são regras. É isso. — Ela olhou para Brigit com uma expressão triste. — Ah, Brigit, querida. Dá para ver que você discorda completamente dessa visão!

— Não, Melissa, de forma alguma — falou a mãe de Charlotte, balançando a cabeça. — É uma situação muito difícil. Olhe, o fato é que seu filho levou um soco no rosto. Você tem todo o direito de ficar zangada e exigir algumas respostas.

— Obrigada. — Minha mãe assentiu e cruzou os braços. — Só acho que lidaram muito mal com tudo, só isso. E a culpa é do Sr. Buzanfa. Toda dele.

— Sem dúvida — concordou a mãe de Henry.

— Ele tem que ir embora — falou a mãe de Miles.

Olhei para minha mãe, cercada por mulheres concordando com ela, e pensei: "Ok, então talvez este acabe sendo um daqueles momentos supermãe." Talvez tudo que ela estivesse fazendo resultasse na mudança de Auggie para outra escola, e então as coisas voltariam a ser como antes na Beecher Prep. Isso seria incrível!

Mas parte de mim pensava: "Talvez este se torne um momento não-tão-supermãe." Quer dizer, algumas coisas que ela estava dizendo soavam meio... não sei. Meio cruéis, acho. Como quando ela fica irritada com um garçom. Você acaba sentindo pena do garçom. A questão é: sei que ela está nessa missão contra o Sr. Buzanfa por minha causa. Se eu não tivesse voltado a ter pesadelos, e se Jack não tivesse me dado um soco, nada disso estaria acontecendo. Ela não estaria criando todo esse caso por causa do Auggie ou do Sr. Buzanfa, e concentraria toda a sua energia em coisas boas, como arrecadar dinheiro para a escola e trabalhar como voluntária no abrigo para os sem-teto. Minha mãe faz coisas boas como essas o tempo todo!

Então, não sei. Por um lado, fico feliz que ela tente me ajudar. E, por outro, eu adoraria que ela parasse.

Grupo do Julian

O que mais me chateou quando voltamos às aulas depois das férias de fim de ano foi que Jack estava amigo de Auggie outra vez. Eles tinham meio que brigado depois do Halloween, e foi por isso que Jack e eu havíamos nos unido de novo. Mas, depois das férias, eles voltaram a ser melhores amigos.

Isso era tão chato!

Falei para todo mundo que a gente precisava dar um gelo em Jack, para seu próprio bem. Ele tinha que escolher, de uma vez por todas, se queria ficar no Grupo do Auggie ou no Grupo do Julian e do Resto do Mundo. Então começamos a ignorar Jack completamente: não falávamos com ele nem respondíamos às suas perguntas. Era como se ele não existisse.

Ele ia ver só!

E foi quando comecei a deixar meus bilhetinhos. Um dia, alguém esqueceu um bloco de post-its em um dos bancos do pátio, e foi isso que me deu a ideia.

Escrevi com uma caligrafia de psicopata:

Ninguém gosta mais de você!

Passei o bilhete pelas frestas do armário de Jack quando ninguém estava olhando. Observei pelo canto do olho quando ele o encontrou. Jack se virou e viu Henry abrindo o armário dele ali por perto.

— Foi o Julian que escreveu isto? — perguntou ele.

Mas Henry era um dos meus parceiros, sabe? Ele apenas deu gelo no Jack, fingindo que não tinha ninguém falando com ele. Jack amassou o papel, jogou-o no armário e bateu a porta.

Depois que Jack saiu, eu me aproximei de Henry.

— Uhul! — falei, levantando o mindinho e o indicador para formar dois chifrinhos, e Henry riu.

Nos dias seguintes, deixei mais alguns bilhetes no armário de Jack. E depois comecei a deixar alguns para Auggie.

Não eram — repito, *não eram* — grande coisa. Eram basicamente bobagens. Não achei que ninguém fosse levar isso a sério. Quer dizer, eles eram até meio engraçados!

Bem, mais ou menos. Pelo menos alguns deles eram.

Você fede a queijo estragado!
Seu monstro!
Dê o fora da nossa escola, ogro!

Ninguém além de Henry e Miles sabia que eu era o autor dos bilhetes. E eles juraram que guardariam segredo.

A sala do Dr. Jansen

Não tenho a menor ideia de como o Sr. Buzanfa ficou sabendo deles. Não acho que Jack ou Auggie tenham sido burros o bastante para me dedurar, porque eles tinham começado a deixar bilhetes no meu armário também. Quer dizer, quão estúpido você tem que ser para dedurar alguém de alguma coisa que você também está fazendo?

Então, foi isto que aconteceu: alguns dias antes do acampamento da escola, que eu esperava ansiosamente, minha mãe recebeu um telefonema do Dr. Jansen, o reitor da Beecher Prep. Ele disse que queria discutir um assunto com ela e meu pai e marcou uma reunião.

Mamãe deduziu que provavelmente tinha a ver com o Sr. Buzanfa, que talvez ele fosse demitido. Então ela estava muito animada com a reunião!

Eles apareceram para o compromisso às dez da manhã e estavam esperando na sala do Dr. Jansen quando, de repente, me viram entrando na sala também. A Sra. Rubin tinha me tirado da aula, pedido que eu a acompanhasse e me levado até lá: eu não fazia ideia do que havia acontecido. Eu nunca tinha ido à sala do reitor, então, quando vi meus pais ali, fiquei tão confuso quanto eles.

— O que está acontecendo? — perguntou mamãe à Sra. Rubin.

Antes que ela pudesse responder qualquer coisa, o Sr. Buzanfa e o Dr. Jansen entraram na sala.

Todos se cumprimentaram com apertos de mãos, cheios de sorrisos. A Sra. Rubin disse que precisava voltar à aula, mas que ligaria para minha mãe e meu pai depois para ver como estavam as coisas. Isso deixou minha mãe surpresa. Percebi que ela começou a achar que, no fim das contas, talvez aquilo não tivesse a ver com a demissão do Sr. Buzanfa.

Então o Dr. Jansen nos convidou a sentar no sofá em frente à mesa dele. O Sr. Buzanfa sentou-se em uma cadeira perto de nós, e o Dr. Jansen se acomodou atrás de sua mesa.

— Bem, obrigado por terem vindo, Melissa e Jules — falou para meus pais.

Era estranho ouvi-lo chamando meus pais pelo nome. Eu sabia que eles se conheciam por fazerem parte do conselho diretor, mas soava esquisito.

— Sei como são ocupados. E tenho certeza de que estão se perguntando por que foram chamados.

— Bem, sim... — começou minha mãe, mas a voz dela falhou.

Meu pai tossiu, cobrindo a boca com a mão. O Dr. Jansen continuou:

— O motivo para termos chamado vocês aqui hoje é que, infelizmente, estamos com um problema sério e gostaríamos de discutir a melhor forma de resolvê-lo. Julian, você tem alguma ideia do que estou falando?

Ele olhou para mim. Arregalei os olhos.

— Eu? — Joguei a cabeça para trás e fiz uma careta. — Não.

O Dr. Jansen sorriu e suspirou ao mesmo tempo. Tirou os óculos.

— Você sabe — disse, olhando para mim — que levamos o bullying muito a sério na Beecher Prep. Há uma política de tolerância zero a qualquer tipo de bullying. Acreditamos que cada um de nossos alunos tem o direito de aprender em uma atmosfera de cuidado e respeito...

— Desculpem-me, mas será que alguém pode me explicar o que está acontecendo aqui? — interrompeu minha mãe, olhando com impaciência para o Dr. Jansen. — É claro que conhecemos a declaração de missão da escola, Hal: nós praticamente a escrevemos! Vamos direto ao ponto: o que está havendo?

Evidências

O Dr. Jansen olhou para o Sr. Buzanfa.

— Por que você não explica, Larry? — sugeriu.

O Sr. Buzanfa entregou um envelope a meus pais. Mamãe o abriu e pegou os três últimos bilhetes que eu tinha deixado no armário de Auggie. Eu soube na mesma hora que eram eles porque eram post-its cor-de-rosa, e não amarelos como todos os anteriores.

Então pensei: "Arrá! Foi o Auggie quem contou ao Sr. Buzanfa sobre os bilhetes! Que sacana!"

Minha mãe leu os bilhetes depressa, arqueou as sobrancelhas e os passou para meu pai. Ele os leu e olhou para mim.

— Foi você que escreveu isto, Julian? — perguntou, estendendo os papéis para mim.

Engoli em seco. Olhei para ele meio vidrado. Ele me entregou os bilhetes, mas eu só fiquei olhando para eles.

— Hum... bem... — respondi. — Sim, eu acho. Mas, pai, *eles* também deixaram bilhetes!

— Quem deixou bilhetes? — papai quis saber.

— Jack e Auggie. Eles deixaram bilhetes para mim também! Não fui só eu.

— Mas foi você quem começou com isso, não foi? — indagou o Sr. Buzanfa.

— Com licença — interveio minha mãe, com raiva. — Não vamos nos esquecer de que foi Jack Will quem deu um soco na boca de Julian, e não o contrário. É claro que haveria um resquício de raiva...

— Quantos bilhetes desses você escreveu, Julian? — interrompeu meu pai, batendo com o dedo nos bilhetes que eu segurava.

— Não sei — falei. Era difícil fazer as palavras saírem. — Uns seis, mais ou menos. Mas os outros não eram assim tão... você sabe, maus. Esses são piores do que os outros que escrevi. Os outros não eram tão... — Minha voz foi sumindo enquanto eu relia o que tinha escrito naqueles três bilhetes:

Oi, Darth Horrível. Você é tão feio que deveria usar uma máscara todos os dias!

E:

Odeio vc, monstro!

E o último:

Aposto que sua mãe queria que você não tivesse nascido. Você deveria fazer um favor a todo mundo... e morrer.

Claro que, olhando para eles agora, pareciam muito piores do que quando eu os escrevi. Mas eu estava com raiva na hora — com muita raiva. Tinha acabado de receber um dos bilhetes e...

— Espere aí! — falei, colocando a mão no bolso. Encontrei o último bilhete que Auggie e Jack tinham deixado no meu armário, na véspera. Tinha ficado meio amassado, mas estendi o bilhete para o Sr. Buzanfa ler. — Veja! Eles também escreveram coisas cruéis para mim!

O diretor olhou o post-it, leu depressa e o entregou a meus pais. Minha mãe leu e depois desviou os olhos para o chão. Meu pai leu e balançou a cabeça, desconcertado.

Ele me passou o bilhete e eu o reli.

Julian, você é tão gato! A Summer não gosta de você, mas eu quero ser a mãe dos seus filhos! Cheira meu sovaco! Com amor, Beulah.

— Quem diabos é Beulah? — perguntou meu pai.

— Esquece — respondi. — Não dá para explicar.

Entreguei o bilhete ao Sr. Buzanfa de novo, que o passou para o Dr. Jansen ler. Notei que ele estava tentando esconder um sorriso.

— Julian — disse o Sr. Buzanfa —, o conteúdo dos três bilhetes que você escreveu nem de longe se compara com o deste que recebeu.

— Não acho que caiba a ninguém julgar a semântica de um bilhete — disse minha mãe. — Não importa se *você* acha que um bilhete é pior que o outro... O que importa é como que a pessoa que recebe o bilhete o lê. O fato é que Julian passou o ano todo gostando dessa menina, Summer, e isso provavelmente feriu os sentimentos dele...

— Mãe! — gritei, cobrindo o rosto com as mãos. — Que vergonha!

— Só estou dizendo que um bilhete pode magoar uma criança, quer *você* enxergue isso ou não — falou ela para o Sr. Buzanfa.

— Você está brincando comigo? — rebateu o Sr. Buzanfa, balançando a cabeça. Ele parecia mais zangado do que eu jamais o vira. — A senhora não acha os bilhetes que seu filho escreveu absolutamente horríveis? Porque eu acho!

— Não estou defendendo os bilhetes! — respondeu minha mãe. — Só estou lembrando a você que essa é uma via de mão dupla. Você tem que entender que, sem dúvida, Julian escreveu esses bilhetes em reação a alguma coisa.

— Olhe — interveio o Dr. Jansen, estendendo uma das mãos à frente, como se fosse um guarda de trânsito. — Não há dúvida de que há uma história por trás disso.

— Esses bilhetes feriram meus sentimentos — falei, e não me importei com o fato de minha voz ter saído como se eu fosse chorar.

— Não duvido que os bilhetes tenham ferido seus sentimentos, Julian — respondeu o Dr. Jansen. — E você estava tentando ferir os deles. Este é o problema com esse tipo de coisa: um fica tentando superar o outro, e a situação acaba saindo de controle.

— Exatamente! — disse minha mãe, quase gritando.

— Mas o fato — retomou o Dr. Jansen, erguendo um dedo — é que existe um limite, Julian. Existe um limite. E seus bilhetes o ultrapassaram. Eles são completamente inaceitáveis. Se Auggie tivesse lido esses bilhetes, como acha que ele teria se sentido?

Ele estava me olhando de um jeito tão intenso que tive vontade de desaparecer debaixo do sofá.

— O senhor quer dizer que ele não leu? — perguntei.

— Não — disse o Dr. Jansen. — Graças aos céus alguém contou ao Sr. Buzanfa sobre os bilhetes ontem, ele abriu o armário e os interceptou antes que Auggie sequer os visse.

Assenti e baixei a cabeça. Tenho que admitir: fiquei feliz por Auggie não ter lido aquilo. Acho que sabia o que o Dr. Jansen quis dizer com "ultrapassar o limite". Mas então pensei: "Se não foi Auggie quem me dedurou, quem foi?"

Ficamos todos em silêncio por alguns minutos. Foi mais constrangedor do que você pode imaginar.

O veredicto

— Muito bem — disse meu pai por fim, esfregando o rosto com a palma da mão. — É claro que entendemos a gravidade da situação e vamos... fazer alguma coisa a respeito.

Acho que nunca vi meu pai tão desconfortável. Desculpa, pai!

— Bem, temos algumas recomendações — falou o Dr. Jansen. — Obviamente queremos ajudar todos os envolvidos...

— Obrigada pela compreensão — disse minha mãe, pegando seu livro como se estivesse pronta para se levantar e sair.

— Mas *há* consequências! — falou o Sr. Buzanfa, olhando para ela.

— Perdão? — disparou ela de volta.

— Como falei antes — interrompeu o Dr. Jansen —, a escola tem uma política antibullying muito severa.

— Ah, sim. Nós vimos como ela é severa quando vocês *não* expulsaram Jack Will por ter dado um soco na boca do Julian — respondeu minha mãe, depressa.

Isso aí! Toma essa, Sr. Buzanfa!

— Ora, por favor! Aquilo foi completamente diferente — respondeu o Sr. Buzanfa com desdém.

— Ah, foi? — falou minha mãe. — Dar um soco na boca de alguém *não* é bullying para vocês?

— Ok, ok — interveio meu pai, erguendo a mão para impedir que o Sr. Buzanfa respondesse. — Vamos direto ao ponto, ok? Quais são suas recomendações, Hal?

O Dr. Jansen olhou para ele.

— Julian está suspenso por duas semanas — anunciou.

— O quê? — gritou minha mãe, olhando para meu pai.

Mas ele não retribuiu o olhar.

— Além disso — continuou o Dr. Jansen —, recomendamos orientação psicológica. A enfermeira Molly tem o contato de vários terapeutas, e achamos que Julian deveria ver algum...

— Isso é um absurdo — interrompeu minha mãe, fervendo de raiva.

— Espera aí — falei. — Você quer dizer que não posso vir para a escola?

— Não nas próximas duas semanas — respondeu o Sr. Buzanfa. — Começando agora mesmo.

— Mas e a viagem para o acampamento? — perguntei.

— Você não pode ir — disse ele, friamente.

— Não! — gritei, e agora estava mesmo a ponto de chorar. — Eu quero ir ao acampamento!

— Sinto muito, Julian — falou o Dr. Jansen, gentil.

— Isso é absolutamente ridículo — disse mamãe, olhando para o Dr. Jansen. — Não acham que estão exagerando um pouquinho? Aquele garoto nem leu os bilhetes!

— A questão não é essa — rebateu o Sr. Buzanfa.

— Vou lhes dizer o que eu penso! — falou minha mãe. — Tudo isso é porque *você* aceitou na escola um garoto que, para começo de conversa, nem deveria ter sido aceito. E quebrou as regras para fazer isso. E está descontando no meu filho porque sou a única que tem coragem de dizer a verdade!

— Melissa — disse o Dr. Jansen, tentando acalmá-la.

— Essas crianças são novas demais para lidar com esse tipo de coisa... Deformações faciais, desfiguração — prosseguiu ela, virando-se para o Dr. Jansen. — Você deveria ver aquilo! Julian teve pesadelos por causa daquele garoto. Você sabia disso? Julian tem problemas de ansiedade.

— Mãe! — exclamei, trincando os dentes.

— O conselho diretor deveria ter sido consultado para deliberar se a Beecher Prep era o melhor lugar para uma criança como aquela. É só isso que estou dizendo! Não estamos preparados para isso. Outras escolas estão, mas nós, não!

— Você pode acreditar nisso, se quiser — respondeu o Sr. Buzanfa, sem olhar para ela.

Minha mãe revirou os olhos.

— Isso é uma caça às bruxas — murmurou ela, baixinho, olhando pela janela.

Ela estava fumegando de raiva.

Eu não tinha ideia do que ela estava falando. Bruxas? Que bruxas?

— Ok, Hal, você disse que tinha algumas recomendações — disse meu pai ao Dr. Jansen. Ele parecia irritado. — É isso? Duas semanas de suspensão e orientação psicológica?

— Também gostaríamos que Julian escrevesse uma carta pedindo desculpas a August Pullman — disse o Sr. Buzanfa.

— Pedir desculpas pelo que, exatamente? — rebateu minha mãe. — Ele escreveu alguns bilhetes bobos. Com certeza não é a única criança do mundo que já fez isso.

— É mais do que um bilhete bobo! — insistiu o Sr. Buzanfa. — É um padrão de comportamento. — Ele começou a contar nos dedos. — Primeiro, foram as caretas pelas costas do menino. Depois, foi o "jogo" que inventou, no qual, se alguém tocar em Auggie, tem que lavar as mãos...

Eu não podia acreditar que o Sr. Buzanfa sabia do jogo da Praga! Como os professores sabem tanta coisa?

— Foi pelo isolamento social — continuou ele. — Por criar um clima de hostilidade.

— E você tem certeza de que foi o Julian quem começou tudo isso? — perguntou meu pai. — Isolamento social? Clima de hostilidade? Você está dizendo que Julian era a única criança que não era gentil com esse garoto? Ou está suspendendo todos que mostraram a língua para ele?

Boa, pai! Um a zero para os Albans!

— Vocês não se incomodam nem um pouco com o fato de Julian não demonstrar nem um pingo de remorso? — perguntou o Sr. Buzanfa, estreitando os olhos para meu pai.

— Ok, vamos parar por aqui — respondeu ele, baixinho, com o dedo na cara do Sr. Buzanfa.

— Por favor, pessoal — pediu o Dr. Jansen. — Vamos nos acalmar. Sem dúvida é uma situação difícil.

— Depois de tudo o que fizemos por esta escola — disse minha mãe, balançando a cabeça. — Depois de todo tempo e dinheiro que investimos, seria de se esperar que recebêssemos só um pouco de consideração. — Ela aproximou o polegar e o indicador. — Só um pouquinho.

Meu pai concordou. Ele ainda estava olhando com raiva para o Sr. Buzanfa, mas então se virou para o Dr. Jansen.

— Melissa tem razão. Acho que merecemos um pouco mais do que isso, Hal. Um aviso amigável teria sido melhor. Em vez disso, você nos chama aqui como se fôssemos crianças... — Ele se levantou. — Merecíamos mais do que isso.

— Lamento que vocês se sintam assim — falou o Dr. Jansen, se levantando também.

— O conselho diretor vai ficar sabendo disso — ameaçou minha mãe, que também se levantou.

— Tenho certeza de que sim — respondeu o Dr. Jansen, cruzando os braços e assentindo.

O Sr. Buzanfa era o único adulto que ainda estava sentado.

— O objetivo da suspensão não é punição — falou, baixinho. — Estamos tentando ajudar o Julian também. Ele nunca vai entender completamente as consequências de seus atos se vocês sempre tentarem justificá-los. Queremos que ele sinta um pouco de empatia...

— Quer saber, já ouvi o suficiente! — disse minha mãe, estendendo a mão bem na frente do rosto do Sr. Buzanfa. — Não preciso de conselhos sobre como criar meu filho. Não de alguém que nem tem filhos. Você não sabe o que é ver seu filho ter um ataque de pânico toda vez que fecha os olhos para dormir, ok? Você não tem ideia de como é. — A voz dela falhou um pouco, como se ela fosse chorar. Ela olhou para o Dr. Jansen. — Isso afetou o Julian profundamente, Hal. Lamento se não é politicamente correto dizer isso, mas estou apenas tentando fazer o que acredito ser o melhor para o meu filho! Só isso. Você entende?

— Entendo, Melissa — respondeu o Dr. Jansen, em voz baixa.

Minha mãe balançou a cabeça. O queixo dela tremia.

— Já terminamos? Podemos ir?

— Claro — respondeu ele.

— Venha, Julian — chamou ela, e saiu da sala.

Eu me levantei. Confesso: não tinha certeza do que estava acontecendo.

— Esperem, é isso? E as minhas coisas? Tudo o que está no meu armário?

— A Sra. Rubin vai arrumar tudo e mandará entregar em sua casa no fim desta semana — respondeu o Dr. Jansen. Ele olhou para meu pai. — Realmente sinto muito que as coisas tenham chegado a este ponto, Jules. — Estendeu a mão para um cumprimento.

Meu pai olhou para a mão do reitor, mas não a apertou. Depois ergueu os olhos para o rosto dele.

— Só quero uma coisa de você, Hal — falou, em voz baixa. — Que isso, tudo isso, seja confidencial. Fui claro? Nada deve sair desta sala. Não quero que a escola transforme Julian em um exemplo antibullying. Ninguém deve saber que ele foi suspenso. Vamos dar alguma desculpa para o fato de ele não vir à escola. Isso está claro, Hal? Não quero que ele seja transformado em um exemplo. Não vou ficar quieto vendo esta escola jogar a reputação de minha família na lama.

Ah, caso eu não tenha mencionado antes: papai é advogado.

O Dr. Jansen e o Sr. Buzanfa trocaram olhares.

— Não queremos usar nenhum de nossos alunos para servir de exemplo — respondeu o Dr. Jansen. — Na verdade, essa suspensão é uma reação razoável a um comportamento inaceitável.

— Dá um tempo — rebateu meu pai, olhando o relógio de pulso. — Isso é um grande exagero.

O Dr. Jansen olhou para o meu pai e depois para mim.

— Julian — falou ele, olhando nos meus olhos —, posso lhe fazer uma pergunta direta?

Olhei para o meu pai, que balançou a cabeça em aprovação. Dei de ombros.

— Você sente remorso pelo que fez? — perguntou o Dr. Jansen.

Pensei por um segundo. Eu sabia que todos os adultos estavam me olhando, esperando que eu desse alguma resposta mágica que consertasse toda aquela situação.

— Sim — falei, baixinho. — Sinto muito por ter escrito aqueles bilhetes.

O Dr. Jansen assentiu e perguntou:

— Você se arrepende de mais alguma coisa?

Olhei para meu pai de novo. Não sou idiota. Sei o que ele queria que eu dissesse. Só que eu não ia falar isso. Então baixei os olhos e dei de ombros.

— Posso lhe pedir uma coisa então? — disse o Dr. Jansen. — Você aceitaria escrever uma carta para o Auggie pedindo desculpas?

Dei de ombros novamente.

— Quantas palavras ela precisa ter? — foi tudo o que consegui falar.

Assim que disse aquilo, soube que não deveria ter dito. O Dr. Jansen olhou para o meu pai, que desviou os olhos.

— Julian — disse meu pai —, vá encontrar a sua mãe. Espere por mim na recepção. Estarei lá em um segundo.

Assim que saí e fechei a porta, meu pai começou a sussurrar alguma coisa para o Dr. Jansen e o Sr. Buzanfa. Era um sussurro apressado e irritado.

Quando cheguei à recepção, encontrei mamãe sentada em uma cadeira, de óculos escuros. Eu me sentei ao lado dela. Ela acariciou minhas costas, mas não disse nada. Acho que estava chorando.

Olhei o relógio. Eram dez e vinte da manhã. Naquele momento, a Sra. Rubin devia estar entregando os resultados do teste de ciências que tínhamos feito na véspera. Enquanto observava o hall, me veio à cabeça aquele dia antes de as aulas começarem, quando eu, Jack Will e Charlotte havíamos nos encontrado ali antes da nossa "comissão de boas-vindas". Eu me lembro de como Jack estava nervoso naquele dia, e eu nem sabia quem era Auggie.

Tanta coisa tinha acontecido desde então!

Fora da escola

Papai não falou nada quando nos encontrou no hall. Apenas atravessamos o portão sem dar tchau para ninguém — nem para o segurança da entrada. Era estranho sair da escola quando todo mundo ainda estava lá. Eu me perguntei o que Miles e Henry pensariam quando eu não voltasse para a aula. Eu detestava a ideia de perder a aula de educação física naquela tarde.

Meus pais ficaram em silêncio durante todo o caminho de volta para casa. Moramos no Upper West Side, que fica a cerca de meia hora de carro da Beecher Prep, mas parece que levamos uma eternidade para chegar.

— Não acredito que fui suspenso — falei, assim que entramos na garagem do prédio.

— A culpa não foi sua, querido — respondeu minha mãe. — Eles estão se vingando da gente.

— Melissa! — gritou meu pai, o que deixou minha mãe um pouco surpresa. — É claro que é culpa dele. Toda essa situação é culpa dele! Julian, o que diabos você estava pensando quando escreveu aqueles bilhetes?

— Ele foi levado a escrever aquilo! — respondeu mamãe.

Tínhamos parado o carro na garagem. O manobrista estava esperando a gente saltar, mas não saímos.

Papai se virou e olhou para mim.

— Não estou dizendo que a escola lidou com isso da maneira correta — falou. — Duas semanas de suspensão é ridículo. Mas, Julian, você não deveria ter feito isso!

— Eu sei! Foi um erro, pai!

— Todos cometemos erros — disse minha mãe.

Papai se virou para a frente de novo. Olhou para minha mãe.

— Jansen tem razão, Melissa. Se você continuar tentando justificar os atos dele...

— Não estou fazendo isso, Jules.

Meu pai não respondeu de imediato. Mas então falou:

— Eu disse ao Jansen que vamos tirar Julian da Beecher Prep no ano que vem.

Mamãe ficou sem fala. Levei um segundo para entender o que ele tinha dito.

— Você *o quê?* — falei.

— Jules — começou ela, devagar.

— Falei que ele vai terminar o ano na Beecher Prep — continuou meu pai, calmo. — Mas no ano que vem vai para outra escola.

— Não acredito nisso! — gritei. — Eu adoro a Beecher Prep, pai! Tenho amigos lá! Mamãe!

— Não vou mandá-lo de volta para essa escola, Julian — disse meu pai, decidido. — Não há a menor chance de eu gastar mais um centavo que seja com aquela escola. Há muitas outras excelentes escolas particulares em Nova York.

— Mamãe!

Ela passou a mão pelo rosto. Balançou a cabeça.

— Você não acha que deveríamos ter conversado sobre isso antes? — perguntou.

— Você não concorda? — rebateu meu pai.

Ela coçou a testa.

— Não, eu concordo — falou em voz baixa.

— Mamãe! — gritei de novo.

Ela se virou no banco.

— Querido, acho que o papai tem razão.

— Não acredito nisso! — berrei, socando o banco do carro.

— Eles estão se vingando de nós porque reclamamos da situação daquele garoto...

— Mas isso foi culpa sua! — falei, por entre os dentes trincados. — Não pedi que você tentasse fazer o Auggie ser expulso da escola. Não queria que você tentasse fazer o Sr. Buzanfa ser demitido. Foi culpa sua!

— E sinto muito por isso, meu amor — disse ela, com doçura.

— Julian! — falou meu pai. — Sua mãe fez tudo isso tentando proteger você. Não é culpa dela você ter escrito aqueles bilhetes, é?

— Não, mas se ela não tivesse criado caso com tudo...

— Julian, você está ouvindo o que está falando? Agora a culpa é da sua mãe. Antes você estava culpando os outros garotos por ter escrito os bilhetes. Estou começando a me perguntar se eles não estavam certos! Você não sente nenhum remorso pelo que fez?

— Claro que sente! — interrompeu minha mãe.

— Melissa, deixe ele responder sozinho! — gritou meu pai.

— Não, ok? — explodi. — Não estou arrependido! Sei que todo mundo acha que eu devia estar todo "ah, me desculpem por ter sido mau com Auggie, lamento ter falado mal dele, sinto muito por ter insultado ele". Mas não sinto nada disso. Então me processem.

Antes que meu pai pudesse responder, o manobrista bateu na janela do carro. Outro veículo tinha entrado na garagem e a gente precisava sair.

Primavera

Não contei a ninguém sobre a suspensão. Quando Henry me mandou uma mensagem de texto alguns dias depois perguntando por que eu não estava indo à escola, falei que estava com a garganta inflamada. Foi o que dissemos a todo mundo.

No fim das contas, duas semanas de suspensão não são tão ruins. Passei a maior parte do tempo em casa assistindo a reprises de *Bob Esponja* e jogando *Star Wars: Cavaleiros da Velha República*. Mas eu ainda tinha que manter o dever de casa em dia, então não estava totalmente à toa. Em uma tarde, a Sra. Rubin foi ao meu apartamento para levar todas as coisas do meu armário: meus livros, cadernos e todos os trabalhos que eu tinha que fazer. Era muita coisa!

Tudo correu muito bem com estudos sociais e inglês, mas tive tanta dificuldade para fazer os deveres de matemática que minha mãe arranjou um professor particular.

Apesar de todo o tempo livre, eu estava muito animado para voltar. Ou pelo menos achei que estivesse. Na véspera do meu primeiro dia de volta, tive um daqueles pesadelos de novo. Só que dessa vez não era só eu que me parecia com Auggie — era todo mundo!

Eu deveria ter entendido aquilo como uma premonição. Assim que cheguei na escola para o meu primeiro dia de volta, percebi um clima estranho. Havia algo diferente. A primeira coisa que notei foi que ninguém estava muito animado por me rever. Quer dizer, as pessoas disseram oi e perguntaram como eu estava, mas ninguém reagiu tipo "cara, sentimos sua falta!".

Seria de imaginar que Miles e Henry reagiriam assim, mas não. Na verdade, na hora do almoço, eles nem se sentaram na nossa mesa de costume. Eles ficaram na mesa do Amos. Então tive que pegar minha bandeja e encontrar um espaço espremido na mesa dele, o que foi meio humilhante. Então ouvi os três falando de ir à quadra depois da aula para treinar uns arremessos livres, mas ninguém me convidou!

No entanto, o mais estranho de tudo era que todo mundo estava sendo muito legal com Auggie. Tipo, ridiculamente legal. Era como se eu tivesse atravessado o portal para outra dimensão, um universo alternativo onde Auggie e eu havíamos trocado de lugar. De repente, ele era o popular, e eu, o esquisito.

Logo depois do último tempo, puxei Henry de lado para falar com ele:

— Ei, cara, por que de repente todo mundo está sendo tão legal com o monstro?

— Ah, hum... — disse Henry, olhando em volta, nervoso. — Bem, as pessoas não chamam mais ele assim.

Então ele me contou tudo o que tinha acontecido no acampamento. Basicamente, o que aconteceu foi que Auggie e Jack foram importunados por uns valentões do sétimo ano de outra escola. Henry, Miles e Amos os defenderam, entraram em uma briga com os valentões — com socos de verdade —, e aí todos fugiram por um milharal. Parecia muito empolgante e, enquanto ele me contava, voltei a sentir raiva do Sr. Buzanfa por não ter me deixado ir.

— Ah, cara — falei, animado. — Queria ter estado lá! Eu ia quebrar a cara daqueles idiotas.

— Espera aí, que idiotas?

— Os garotos do sétimo ano!

— Sério? — Ele parecia confuso, mas Henry sempre parecia um pouco confuso. — Porque não sei, Julian. Meio que achei que, se você estivesse lá, nós não teríamos defendido eles. Você provavelmente iria torcer para os caras do sétimo ano.

Olhei para Henry como se ele fosse um idiota.

— Não ia, não — falei.

— Sério? — perguntou ele, desconfiado.

— Sério!

— Ok! — disse ele, dando de ombros.

— Ei, Henry, você vem? — perguntou Amos, do fim do corredor.

— Opa, tenho que ir — disse Henry para mim.

— Espere.

— Tenho que ir.

— Quer dar uma volta amanhã depois da escola?

— Não sei — disse ele, se afastando. — Me manda uma mensagem hoje à noite e a gente vê.

Enquanto via Henry correr para longe, tive aquela sensação terrível na boca do estômago. Ele achava mesmo que eu era *tão* cruel a ponto de torcer pelos caras do sétimo ano enquanto eles batiam no Auggie? Era isso que os outros pensavam? Que eu podia ser tão babaca assim?

Olhe, sou o primeiro a dizer que não gosto do Auggie Pullman, mas jamais iria querer que ele fosse espancado nem nada! Quer dizer, qual é? Não sou um psicopata! Fiquei realmente chateado por as pessoas pensarem isso de mim.

Mandei uma mensagem para Henry mais tarde: "Cara, eu *nunca* ia ficar parado e deixar aqueles idiotas meterem porrada no Auggie e no Jack!"

Mas ele nunca respondeu.

Sr. Buzanfa

Aquele último mês na escola foi horrível. Não era como se as pessoas fossem abertamente más comigo, mas me senti excluído por Amos, Henry e Miles. Eu simplesmente não era mais popular. Ninguém nem ria mais das minhas piadas. Ninguém queria andar comigo. Se eu pudesse sumir da escola, parecia que ninguém daria falta. Enquanto isso, Auggie andava pelos corredores como o cara mais legal da escola, e todos os alunos mais velhos o cumprimentavam.

Dane-se.

Um dia, o Sr. Buzanfa me chamou em sua sala.

— Como estão as coisas, Julian?

— Bem.

— Você chegou a escrever o pedido de desculpas que lhe pedi?

— Meu pai disse que vou sair da escola, então não tenho que escrever nada — respondi.

— Ah — murmurou ele, assentindo. — Acho que eu esperava que você quisesse fazer isso por conta própria.

— Por quê? — rebati. — Todo mundo acha que eu sou um babaca mesmo. De que vai adiantar escrever um pedido de desculpas?

— Julian...

— Olha, sei que todo mundo acha que sou um insensível que não sente "remorso"! — falei, fazendo um gesto no ar para indicar as aspas.

— Julian, ninguém...

De repente, senti que começaria a chorar, então o interrompi:

— Estou atrasado para a aula e não quero ter mais problemas. Posso ir, por favor?

O Sr. Buzanfa pareceu triste. Ele assentiu. Então saí de sua sala sem olhar para trás.

Alguns dias depois, recebemos um comunicado oficial da escola informando que eles haviam retirado o convite para que eu renovasse minha matrícula para o ano seguinte.

Não achei que fizesse diferença, já que meu pai tinha dito a eles que eu não voltaria mesmo. Mas ainda não recebêramos notícias das outras escolas para as quais eu havia me inscrito e, se eu não entrasse para nenhuma delas, pretendíamos manter minha matrícula na Beecher Prep. Agora, isso era impossível.

Meus pais ficaram furiosos com a escola. Tipo, *loucos* de raiva. Principalmente porque já haviam pagado a matrícula do ano seguinte, e a escola não pretendia devolver o dinheiro. Viu? Este é o problema com as escolas particulares: podem expulsar você por qualquer motivo.

Por sorte, alguns dias depois, descobrimos que eu tinha sido aceito na escola que era minha primeira opção, não muito longe de casa. Eu teria que usar uniforme, mas tudo bem. Era melhor do que ter que ir para a Beecher Prep todo dia!

Nem preciso dizer que não fomos à cerimônia de formatura no fim do ano.

Depois

— São apenas lágrimas, como dizem os homens — falou Bagheera.
— Agora te reconheço como um homem, e não mais como filhote de homem. De fato, a selva está fechada para ti daqui por diante. Deixe-as cair, Mogli. São apenas lágrimas.

— Rudyard Kipling, *O livro da selva*

• • •

Ah, o vento, o vento está soprando,
pelos túmulos o vento está soprando,
a liberdade logo virá;
então sairemos das sombras.

— Leonard Cohen, "The Partisan"

Férias

Meus pais e eu fomos para Paris em junho. O plano original era voltarmos para Nova York em julho, já que eu iria para um acampamento de rock com Henry e Miles. Mas, depois de tudo que aconteceu, eu não queria mais ir. Meus pais decidiram me deixar com a minha avó até o fim do verão.

Normalmente, eu detestava ficar com a minha Grandmère, mas achei bom dessa vez. Eu sabia que, depois que meus pais voltassem para casa, eu poderia passar o dia inteiro de pijama jogando *Halo*, e Grandmère não se incomodaria nem um pouco. Eu poderia fazer praticamente tudo o que quisesse.

Ela não é exatamente uma "vovó" típica. Nada de assar biscoitos. Nem de tricotar suéteres. Como papai sempre dizia, ela era uma "figura". Mesmo já com mais de oitenta anos, se vestia como uma modelo. Superglamorosa. Muita maquiagem e perfume. Salto alto. Nunca acordava antes das duas da tarde, e depois levava pelo menos duas horas para se arrumar. Quando estava pronta, me levava para fazer compras, a um museu ou a um restaurante chique. Ela não gostava de fazer coisas de criança, se é que você me entende. Nunca me levou para assistir a um filme de classificação livre com ela, por exemplo, e por isso eu acabei vendo um monte de filmes totalmente impróprios para minha idade. Sei que mamãe ficaria uma fera se soubesse de alguns filmes que Grandmère me levou para ver. Mas ela era francesa, e vivia sempre dizendo que meus pais eram "americanos" demais.

Minha avó também não falava comigo como se eu fosse criancinha. Nem quando eu era mais novo, nunca usou vocabulário de bebê nem falou comigo do jeito que os adultos falam com as crianças pequenas. Usava palavras normais para tudo. Por exemplo, se eu dissesse "*Je veux faire pipi*", que significa "quero fazer pipi", ela diria: "Você quer urinar? Vá ao toalete."

E às vezes ela falava palavrões. Cara, e que palavrões! E se eu não soubesse o que um deles significava, era só perguntar, e ela me explicava — em detalhes. Não posso nem contar algumas das palavras que ela me explicou!

Enfim, fiquei feliz por passar todo o verão longe de Nova York. Eu esperava esquecer todas aquelas crianças. Auggie. Jack. Summer. Henry. Miles. Todas. Se eu não as visse de novo, sério, seria o garoto mais feliz de Paris.

Sr. Browne

A única coisa que me deixou chateado foi que não tive a oportunidade de me despedir de nenhum dos meus professores da Beecher Prep. Eu gostava muito de alguns deles. O Sr. Browne, de inglês, provavelmente era meu professor favorito de todos os tempos. Ele sempre foi muito legal comigo. Eu adorava escrever, e ele fazia muitos elogios por causa disso. E não contei a ele que não voltaria para a Beecher Prep.

No começo do ano, o Sr. Browne tinha nos dito que queria que mandássemos para ele um de nossos próprios preceitos no verão. Então, uma tarde, enquanto Grandmère estava dormindo, comecei a pensar em enviar um preceito para ele de Paris. Fui a uma dessas lojas turísticas no fim do quarteirão e comprei um cartão-postal de uma gárgula, uma daquelas no alto da Notre-Dame. A primeira coisa que me veio à cabeça quando vi a imagem foi que me lembrava o Auggie. Então pensei: "Ai! Por que ainda estou pensando nele? Por que ainda vejo o rosto dele em todos os lugares? Mal posso esperar para recomeçar!"

E foi aí que ele veio: meu preceito. Eu o escrevi muito depressa.

Às vezes é bom recomeçar.

Pronto. Perfeito. Adorei. Peguei o endereço do Sr. Browne em seu perfil na página de professores do site da Beecher Prep e mandei o cartão pelo correio no mesmo dia.

Mas aí, depois de enviar, me dei conta de que ele não ia entender o que o preceito significava. Não mesmo. Ele não sabia de toda a história para eu estar tão feliz por sair da Beecher Prep e recomeçar em algum lugar novo. Então decidi escrever um e-mail para ele contando tudo o que havia acontecido no ano passado. Bem, nem *tudo*. Meu pai tinha sido muito claro ao me proibir de contar a alguém da escola as coisas ruins que eu havia feito com Auggie — por motivos jurídicos. Mas eu queria que o Sr. Browne soubesse o bastante para entender meu preceito. Também queria que ele soubesse que eu o achava um excelente professor. Minha mãe dissera a todo mundo que eu não ia voltar para a Beecher Prep porque estávamos insatisfeitos com a direção — e com os professores. Eu me senti um pouco mal por isso, porque não queria que o Sr. Browne achasse que eu não estava satisfeito com ele.

Então, decidi mandar um e-mail para ele.

Para: tbrowne@beecherschool.edu
De: julianalbans@ezmail.com
Assunto: Meu preceito

Oi, Sr. Browne! Acabei de mandar meu preceito para o senhor pelo correio: "ÀS VEZES É BOM RECOMEÇAR." Está no cartão-postal com a imagem de uma gárgula. Escrevi esse preceito porque vou para uma nova escola em setembro. Acabei odiando a Beecher Prep. Não gostava dos alunos. Mas GOSTAVA dos professores. Achava a sua aula ótima. Então não tome minha saída como pessoal.

Não sei se você conhece toda a história. É longa, mas basicamente o motivo para eu não voltar para a Beecher Prep é... bem, não vou citar nomes, mas tinha um aluno com quem eu não me dava nem um pouquinho bem. Na verdade, eram dois alunos. (Você deve imaginar quem são.) Enfim, esses garotos não eram as pessoas de quem eu mais gostava no mundo. Começamos a escrever bilhetes cruéis uns para os outros. Repito: *uns para os outros.* Era uma via de mão dupla! Mas fui eu que fiquei encrencado! Só eu! Foi tão injusto! A verdade é que o Sr. Buzanfa fez isso comigo porque minha mãe estava tentando fazer com que ele fosse demitido. Bem, para resumir: fui suspenso por duas semanas por ter escrito os bilhetes! (Mas ninguém sabe disso. É segredo, então, por favor, não espalhe.) A escola dizia que tinha uma política de "tolerância zero" contra bullying. Mas não acho que o que fiz

tenha sido bullying. Meus pais ficaram tão irritados com a escola! Decidiram me matricular em outro lugar. Então, essa é a história.

Eu realmente gostaria que esse "aluno" nunca tivesse entrado na Beecher Prep! Meu ano teria sido muito melhor! Eu detestava ter que estar na turma dele. Ele me dava pesadelos. Eu ainda estudaria na Beecher Prep se ele não estivesse lá. Foi um horror.

Mas eu gostava mesmo das suas aulas. Você era um excelente professor. Queria que soubesse disso.

Achei que tinha sido bom não citar "nomes". Mas imaginava que ele saberia de quem eu estava falando. Realmente não esperava ter notícias do Sr. Browne, mas, no dia seguinte, quando chequei a caixa de entrada, havia um e-mail dele. Fiquei muito animado!

Para: julianalbans@ezmail.com
De: tbrowne@beecherschool.edu
Assunto: Res: Meu preceito

Oi, Julian. Muito obrigado pelo seu e-mail! Estou ansioso para receber o cartão-postal da gárgula. Lamento saber que você não vai voltar para a Beecher Prep. Sempre achei que você era um ótimo aluno e um escritor talentoso.

A propósito, adorei seu preceito. Concordo, às vezes é bom recomeçar. Um novo começo nos dá a chance de refletir sobre o passado, pesar as coisas que fizemos e aplicar aquilo que aprendemos com isso em nosso novo caminho. Se não examinarmos o passado, não aprendemos com ele.

Quanto aos "garotos" de quem você não gostava, acho que sei de quem está falando. Lamento que você não tenha tido um ano feliz, mas espero que tire um tempinho para se perguntar por quê. As coisas que acontecem conosco, mesmo as ruins, muitas vezes podem nos ensinar um pouco sobre nós mesmos. Você já se perguntou por que foi tão difícil lidar com esses dois alunos? Será que talvez não tenha sido a amizade deles que o incomodou? Você ficou pertur-

bado com a aparência de Auggie? Você relatou que começou a ter pesadelos. Às vezes o medo pode fazer com que até as crianças mais legais digam e façam coisas que normalmente não diriam ou fariam. Será que você não deveria explorar um pouco mais esses sentimentos?

De todo modo, desejo muito boa sorte na nova escola, Julian. Você é um bom garoto. Um líder nato. Apenas se lembre de usar sua liderança para o bem, sim? Não esqueça: escolha sempre ser gentil!

Não sei por que, mas fiquei tão, tão, *tão* feliz de receber esse e-mail do Sr. Browne! Eu sabia que ele seria compreensivo! Estava tão cansado de todo mundo achar que eu era um capeta, sabe? Ficou claro que o Sr. Browne não pensava isso de mim. Reli o e-mail dele, tipo, umas dez vezes. Estava sorrindo de orelha a orelha.

— E então? — perguntou Grandmère. Ela tinha acabado de acordar e estava tomando café da manhã: croissant e *café au lait*, entregues lá de baixo. — Não vi você feliz assim o verão inteiro. O que está lendo, *mon cher*?

— Ah, recebi um e-mail de um dos meus professores — respondi. — O Sr. Browne.

— Da antiga escola? Achei que fossem todos ruins, aqueles professores. Achei que fosse um "passar bem" para todos eles!

Minha vó tinha um sotaque francês carregado que às vezes era difícil de entender.

— O quê? – perguntei.

— Passar bem! — repetiu ela. — Deixe para lá. Achei que todos os professores fossem estúpidos.

O jeito como ela pronunciava "estúpidos" era engraçado: *estu-pidos*!

— Nem todos. O Sr. Browne, não — falei.

— Então, o que ele escreveu que deixou você tão feliz?

— Ah, nada de mais. É só que... Eu achei que todo mundo me odiasse, mas agora sei que o Sr. Browne não me odeia.

Grandmère olhou para mim.

— Por que todo mundo odiaria você, Julian? — perguntou ela. — Você é um garoto tão bom.

— Não sei — respondi.

— Leia o e-mail para mim — pediu ela.

— Não, Grandmère... — comecei a dizer.

— Leia — ordenou, apontando o dedo para a tela.

Então li a mensagem do Sr. Browne em voz alta. Bom, acho que a Grandmère sabia um pouquinho do que havia acontecido na Beecher Prep, mas não a história toda. Quer dizer, acho que meus pais contaram a ela a mesma versão que contavam para todo mundo, talvez com alguns detalhes a mais. Grandmère sabia que havia dois garotos que transformaram a minha vida em um inferno, por exemplo, mas não sabia dos detalhes. Sabia que eu tinha levado um soco na boca, mas não o motivo. No mínimo, ela devia achar que eu tinha sofrido bullying, e que era por isso que sairia da escola.

Por isso, ela não entendeu algumas partes do e-mail do Sr. Browne.

— O que ele quer dizer — falou, estreitando os olhos para tentar ler a tela — com "a aparência de Auggie"? *Qu'est-ce que c'est?*

— Um dos garotos de quem eu não gostava, Auggie, tinha, tipo, uma... deformação horrível no rosto — respondi. — Era muito grave. Ele parecia uma gárgula!

— Julian! Isso não é muito gentil.

— Desculpe.

— E esse garoto, ele não era *sympathique?* — perguntou ela, com inocência. — Não era legal com você? Praticava bullying?

Pensei nisso.

— Não, ele não fazia bullying comigo.

— Então por que você não gostava dele?

Dei de ombros.

— Não sei. Ele só me dava nos nervos.

— Como assim, você não sabe? — rebateu ela depressa. — Seus pais me disseram que você estava saindo da escola por causa de bullying, não é? Você não levou um soco no rosto?

— Bem, sim, levei um soco. Mas não do garoto deformado. Do amigo dele.

— Ah! Então era o amigo dele que fazia bullying!

— Na verdade, não — falei. — Não sei se havia alguém fazendo bullying, Grandmère. Quer dizer, não foi bem assim. A gente não se dava bem, só isso. Nós nos odiávamos. É meio difícil explicar, você tinha que estar lá. Aqui, me deixe mostrar como ele era. Aí talvez você entenda um pouco melhor. Quer dizer, não quero ser mau nem nada, mas era muito difícil ter que olhar para ele todo dia. Ele me dava pesadelos.

Entrei no Facebook, achei nossa foto de turma e dei zoom no rosto de Auggie, para que ela pudesse ver. Ela pôs os óculos para enxergar melhor e passou um longo tempo estudando o rosto dele na tela do computador. Achei que ela fosse ter a mesma reação da minha mãe quando viu a foto de Auggie pela primeira vez, mas não. Apenas balançou a cabeça e fechou o laptop.

— Bem ruim, não é? — falei.

Ela olhou para mim.

— Julian, acho que talvez seu professor tenha razão. Acho que você tinha medo desse menino.

— O quê? De jeito nenhum — retruquei. — Não tenho medo do Auggie! Quer dizer, eu não gostava dele... Na verdade, eu meio que detestava o Auggie... Mas não porque tivesse medo dele.

— Às vezes odiamos as coisas de que temos medo.

Fiz uma careta, como se ela estivesse falando uma maluquice.

Ela pegou a minha mão.

— Eu sei o que é ter medo, Julian — falou, levantando o dedo diante do meu rosto. — Havia um menino de quem eu tinha medo quando era pequena.

— Deixe eu adivinhar — falei, com a voz entediada. — Aposto que ele era igualzinho ao Auggie.

Grandmère fez que não com a cabeça.

— Não. Não havia nada de errado com o rosto dele.

— Então por que você tinha medo? — perguntei. Tentei fazer minha voz soar a mais desinteressada possível, mas ela ignorou minha malcriação.

Apenas se recostou na cadeira, com a cabeça levemente inclinada. Olhando nos seus olhos, notei que ela havia ido para muito longe.

A história de Grandmère

— Eu era uma garota muito popular quando jovem, Julian — disse minha avó. — Tinha muitos amigos. Usava roupas bonitas. Como você pode ver, sempre gostei de roupas bonitas.

Ela apontou para a cintura para garantir que eu tinha reparado em seu vestido. Sorriu.

— Eu era uma garota fútil — continuou. — Mimada. Quando os alemães invadiram a França, quase não notei. Eu sabia que algumas famílias judias de minha cidade estavam indo embora, mas minha família era tão cosmopolita! Meus pais eram intelectuais. Ateus. Nem íamos à sinagoga.

Grandmère fez uma pausa e me pediu que buscasse uma taça de vinho para ela.

Obedeci. Ela encheu a taça e, como sempre fazia, me ofereceu um pouco também. E, como sempre, falei:

— *Non, merci.*

Como já disse, minha mãe ficaria uma fera se soubesse das coisas que Grandmère fazia às vezes!

— Havia um garoto em minha escola chamado... Bem, ele era chamado de Tourteau — prosseguiu ela. — Ele era... qual é mesmo a palavra?... Aleijado? É assim que vocês falam?

— Acho que as pessoas não usam mais essa palavra, Grandmère — falei. — Não é politicamente correta, se você me entende.

Ela abanou a mão para mim.

— Os americanos adoram decidir que não podemos mais usar certas palavras! — disse ela. — *Allors*, bem, as pernas de Tourteau eram deformadas por causa da poliomielite. Ele precisava de duas muletas para andar. E suas costas eram todas tortas.

Acho que era por isso que o chamavam de *tourteau*, que significa caranguejo: ele andava de lado, como um "caranguejo". Sei que isso parece muito cruel. As crianças eram mais malvadas naquele tempo.

Pensei em como eu chamava August de "o monstro" pelas costas. Mas pelo menos nunca fiz isso na frente dele!

Grandmère continuou falando. Tenho que admitir: no começo, eu não estava a fim de ouvir uma das suas longas histórias, mas estava ficando interessado naquela.

— Tourteau era uma coisinha pequena e magricela. Nenhum de nós nunca falou com ele, porque ele nos deixava desconfortáveis. Ele era tão diferente! Nunca nem sequer olhei para ele! Tinha medo dele. De olhar, de falar com ele. Tinha medo de que ele me tocasse sem querer. Era mais fácil fingir que ele não existia.

Ela tomou um longo gole de vinho.

— Certa manhã, um homem entrou correndo em nossa escola. Eu o conhecia. Todos o conheciam. Era um Maquis, um partidário da resistência francesa. Sabe o que é isso? Ele era contra os alemães. Ele entrou depressa na escola e disse aos professores que os alemães estavam vindo para levar embora todas as crianças judias. O quê? O que era aquilo? Eu não podia acreditar no que estava ouvindo! Os professores foram em todas as salas reunindo as crianças judias. Fomos orientados a seguir o Maquis pela floresta. Iríamos nos esconder. Depressa, depressa, depressa! Acho que havia umas dez de nós. Depressa, depressa, depressa! Fujam!

Grandmère olhou para mim, para garantir que eu estava ouvindo — óbvio que eu estava.

— Nevava naquela manhã e fazia muito frio. Tudo em que eu pensava era "se eu entrar na floresta, vou estragar meus sapatos!". Sabe, eu estava usando os lindos sapatos vermelhos novos que meu Papa havia comprado para mim. Como disse antes, eu era uma garota fútil... talvez até um pouco estúpida! Mas era nisso que eu estava pensando. Eu nem tinha parado para me perguntar: "Bem, onde estão Maman e Papa?" Se os alemães estavam vindo buscar as crianças judias, já teriam levado os pais? Isso nem me ocorreu. Tudo em que conseguia pensar era nos meus lindos sapatos. Então, em vez de seguir o Maquis pela floresta, eu me separei do grupo e me escondi na torre do sino da escola. Havia uma saleta minúscula lá em cima, cheia de caixas e livros, e foi ali onde me escondi. Eu me lembro de pensar que iria para casa à tarde, depois que os alemães já tivessem ido embora, e contaria tudo aquilo a Maman e Papa. Eu era estúpida a esse ponto, Julian!

Assenti. Não acreditava que nunca tinha ouvido aquela história!

— Então os alemães chegaram. Havia uma janela estreita na torre, e consegui vê-los perfeitamente. Eu os vi correr pela floresta atrás das crianças. Não demoraram muito para encontrá-las. Todos voltaram juntos: os alemães, as crianças e o Maquis.

Ela parou, piscou algumas vezes e então respirou fundo.

— Eles deram um tiro no Maquis na frente de todas as crianças — falou, baixinho. — Ele caiu tão suavemente, Julian, na neve. As crianças gritaram. Choraram enquanto eram levadas embora em uma fila. Uma das professoras, Mademoiselle Petitjean, foi com elas, mesmo não sendo judia! Ela disse que não abandonaria seus alunos! Ninguém nunca a viu de novo, coitadinha. A essa altura, eu tinha acordado de minha estupidez, Julian. Não estava mais pensando nos meus sapatos vermelhos. Pensava em meus amigos que tinham sido levados embora. Em meus pais. Estava esperando anoitecer para poder voltar para casa, para eles!

"Mas nem todos os alemães tinham ido embora. Alguns ficaram, junto com a polícia francesa. Estavam fazendo uma busca na escola. E então eu percebi que estavam procurando por mim! Sim, por mim e por mais uma ou duas outras crianças judias que não tinham ido para a floresta. Percebi que minha amiga Rachel não estava entre as crianças que tinham sido levadas. Nem Jakob, um garoto de outra cidade com quem todas as garotas queriam se casar, porque ele era lindo. Onde estavam? Deviam estar escondidos, como eu!

"Então ouvi um rangido, Julian. Passos nas escadas acima, se aproximando de mim. Fiquei tão assustada! Tentei me encolher o máximo possível atrás da caixa, e escondi a cabeça debaixo de um cobertor."

Nesse ponto, Grandmère cobriu a cabeça com os braços, para me mostrar como estava se escondendo.

— Aí ouvi alguém sussurrar meu nome — falou. — Não era uma voz de homem. Era voz de criança. "Sara?", sussurrou a voz de novo. Espiei para fora do cobertor. "Tourteau!", respondi, atônita. Fiquei tão surpresa porque, em todos os anos que o conhecia, nunca tinha dirigido uma palavra a ele, nem ele a mim. E, ainda assim, ali estava ele, chamando meu nome. "Eles vão encontrar você aqui", falou. "Vem comigo."

"E eu o segui mesmo, porque naquele momento estava apavorada. Ele me conduziu por um corredor até a capela da escola, onde eu nunca estivera. Fomos para os fundos da capela, onde havia uma cripta... tudo aquilo era novidade para mim, Julian! Rastejamos pela cripta, para que os alemães não pudessem nos ver pelas janelas, porque ainda estavam nos procurando. Ouvi quando encontraram Rachel. Eu a ouvi gritar no pátio enquanto eles a levavam. Pobre Rachel.

"Tourteau me levou até o porão embaixo da cripta. Devia ter pelo menos uns cem degraus. Como você pode imaginar, aquilo não era fácil para ele, com sua deficiência terrível e as duas muletas, mas ele desceu os degraus pulando de dois em dois, olhando para trás para ter certeza de que eu o estava seguindo.

"Por fim, chegamos a uma passagem. Era tão estreita que precisávamos andar de lado para atravessar. E então chegamos aos esgotos, Julian! Dá para imaginar? Eu soube imediatamente, por causa do cheiro, claro. Estávamos afundados em lixo até os joelhos. Dá para imaginar o cheiro? Meus sapatos vermelhos já eram!

"Caminhamos a noite inteira. Eu estava com tanto frio, Julian! Mas Tourteau era um garoto tão gentil. Ele me deu seu casaco. Esse foi, até hoje, o gesto mais nobre que alguém já fez por mim. Ele estava congelando também, mas me deu o casaco dele. Fiquei tão envergonhada pelo modo como o havia tratado! Ah, Julian, tão envergonhada!"

Ela cobriu a boca com os dedos e engoliu em seco. Depois terminou a taça de vinho e se serviu de outra.

— Os esgotos levavam a Dannevilliers, um pequeno vilarejo a cerca de quinze quilômetros de Aubervilliers. Maman e Papa sempre tinham evitado essa cidade por causa do cheiro: os esgotos de Paris eram escoados para as terras de lá. Nós nem comíamos maçãs cultivadas em Dannevilliers! Mas era onde Tourteau morava. Ele me levou à casa dele, onde nos limpamos junto ao poço, e depois ele me levou ao celeiro atrás de sua casa. Ele me cobriu com um cobertor de cavalo e me disse para esperar. Ele ia chamar os pais. "Não", implorei. "Por favor, não conte a eles." Eu estava tão assustada! Eu imaginava que, quando me vissem, eles iam chamar os alemães. Você sabe, eu não os conhecia!

"Mas Tourteau foi embora e, alguns minutos depois, voltou com os pais. Eles olharam para mim. Eu devia estar um tanto patética ali, toda molhada e tremendo. A mãe dele, Vivienne, me abraçou para me confortar. Ah, Julian, aquele foi o abraço mais caloroso que já recebi!

"Chorei tanto nos braços dela, porque naquele momento eu soube que nunca mais choraria nos braços de minha Maman novamente. Eu soube disso em meu coração, Julian. E estava certa. Eles tinham levado Maman naquele mesmo dia, junto com todos os judeus da cidade. Meu pai, que estava no trabalho, fora avisado de que os alemães estavam vindo e fugira. Para a Suíça. Mas era tarde demais para Maman. Foi deportada naquele dia. Para Auschwitz. Nunca mais a vi. Minha linda Maman!"

Ela respirou fundo e balançou a cabeça.

Tourteau

Grandmère ficou em silêncio por alguns segundos. Ela estava olhando para o ar, como se visse tudo acontecer de novo, bem na sua frente. Agora eu entendia por que ela nunca tinha falado disso: era difícil demais.

— A família de Tourteau me escondeu no celeiro por dois anos — continuou ela, devagar. — Apesar de ser muito perigoso para eles. Estávamos cercados por alemães, e a polícia francesa tinha um grande quartel-general em Dannevilliers. Mas todos os dias eu agradecia ao Criador pelo celeiro que era minha casa e pela comida que Tourteau conseguia levar para mim... mesmo quando não havia comida quase nenhuma. As pessoas morriam de fome naquela época, Julian. E ainda assim eles me alimentaram. Foi uma bondade da qual jamais me esquecerei. Ser bom é sempre um ato de coragem, mas, naquele tempo, tanta bondade podia lhe custar a vida.

Nesse ponto, Grandmère começou a ficar com os olhos cheios d'água. Segurou minha mão.

— A última vez que vi Tourteau foi dois meses antes da libertação. Ele tinha me levado um pouco de sopa. Nem era sopa de verdade. Era água com um pouquinho de pão e cebolas dentro. Nós dois tínhamos emagrecido tanto! Eu estava em frangalhos. Nem pensar em roupas bonitas! Mesmo assim, conseguíamos rir, Tourteau e eu. Ríamos de coisas que aconteciam na escola. Embora eu não pudesse mais ir às aulas, claro, Tourteau ainda ia todos os dias. À noite, ele me contava tudo o que tinha aprendido, para que eu continuasse inteligente. E me falava dos meus antigos amigos, também, sobre como eles estavam. Todos ainda o ignoravam, claro.

"E ele nunca contou a nenhum deles que eu ainda estava viva. Ninguém podia saber. Não podíamos confiar em ninguém! Mas

Tourteau era um excelente contador de histórias e me fazia rir bastante. Fazia imitações incríveis e tinha apelidos engraçados para todos os meus amigos. Imagine só: Tourteau zombando deles!

"'Eu não fazia ideia de que você era tão endiabrado!', falei para ele. 'Todos esses anos você também devia estar rindo de mim pelas costas!'

"'Rindo de você?', disse ele. 'Nunca! Eu era apaixonado por você. Nunca ri. Além disso, eu só zombava dos que também zombavam de mim. Você nunca fez isso. Apenas me ignorava.'

"'Eu chamava você de Tourteau.'

"'E daí? Todo mundo me chamava assim. Realmente não me importo. Gosto de caranguejos!'

"'Ah, Tourteau, estou tão envergonhada!', falei, e lembro que cobri o rosto com as mãos."

Nesse momento, Grandmère cobriu o rosto com as mãos. Embora seus dedos agora estivessem retorcidos pela artrite e suas veias estivessem visíveis, imaginei suas mãos de menina cobrindo o rosto jovem, tantos anos antes.

— Tourteau pegou as minhas mãos — continuou, tirando as mãos do rosto devagar. — E as segurou por alguns segundos. Eu tinha quatorze anos e nunca havia beijado um garoto. Mas ele me beijou naquele dia, Julian.

Grandmère fechou os olhos. Respirou fundo.

— Depois que ele me beijou, falei: "Não quero mais chamar você de Tourteau. Qual é o seu nome?"

Ela abriu bem os olhos e me fitou.

— Você sabe o que ele respondeu? — perguntou.

Arqueei as sobrancelhas, como se dissesse "não, como é que eu saberia?".

Então ela fechou os olhos de novo e sorriu.

— Ele disse: "Meu nome é Julian."

Julian

— Ah, meu Deus! — gritei. — Foi por isso que você deu esse nome ao papai?

Embora todo mundo o chamasse de Jules, esse era o nome dele.

— *Oui* — disse ela, fazendo que sim com a cabeça.

— E eu recebi o nome por causa do meu pai! — falei. — Então tenho o nome desse garoto! Isso é tão legal!

Ela sorriu e passou os dedos pelo meu cabelo. Mas não falou nada.

Então me lembrei de que ela tinha dito: "A última vez que vi Tourteau..."

— O que aconteceu com ele? — perguntei. — Com o Julian?

Lágrimas rolaram pelo rosto da minha avó quase no mesmo instante.

— Os alemães o pegaram — falou. — Naquele dia mesmo. Ele estava a caminho da escola. Estavam fazendo outra busca no vilarejo naquela manhã. A essa altura, estavam perdendo a guerra e sabiam disso.

— Mas... ele nem era judeu!

— Eles o pegaram porque ele era aleijado — disse ela, soluçando. — Desculpe, sei que você me disse que essa não é uma boa palavra, mas não conheço outra na sua língua. Ele era um *invalide*. É como dizemos em francês. E foi por isso que o pegaram. Ele não era perfeito. — Ela praticamente cuspiu essa palavra. — Naquele dia, levaram embora da cidade todos os que não eram perfeitos. Foi um expurgo. Os ciganos. O filho do sapateiro que era... retardado. E Julian. Meu *tourteau*. Eles o puseram em uma carroça com os outros. E depois em um trem para Drancy. E de lá para Auschwitz, como minha mãe. Mais tarde, alguém que o viu por lá nos contou que eles o mandaram direto para a câmara de gás. Simples assim, puf, ele se foi. Meu herói. Meu pequeno Julian.

Ela parou para secar os olhos com um lenço e bebeu o restante do vinho.

— Os pais dele ficaram arrasados, claro. M. Beaumier e Mme. Beaumier — continuou. — Só tivemos certeza de que ele havia morrido depois da libertação. Mas sabíamos. Nós sabíamos. — Ela esfregou os olhos com o lenço. — Morei com eles por mais um ano depois da guerra. Eles me trataram como sua filha. Foram eles que me ajudaram a localizar Papa, embora tenha demorado um pouco. Quando Papa finalmente voltou a Paris, fui morar com ele. Mas sempre visitava os Beaumier, mesmo quando já estavam muito velhos. Nunca esqueci a bondade que demonstraram comigo.

Ela suspirou. Havia terminado a história.

— Grandmère — falei, depois de alguns minutos —, isso é tipo a coisa mais triste que já ouvi! Eu não sabia que você tinha vivido na guerra. Quer dizer, meu pai nunca falou sobre nada disso.

Ela deu de ombros.

— Acho que é bem possível que eu nunca tenha contado essa história para o seu pai. Não gosto de falar de coisas tristes, sabe? De certo modo, ainda sou a garota fútil que era antes. Mas, quando ouvi você falando daquele garotinho da sua escola, não pude deixar de pensar em Tourteau, em como eu tinha medo dele, em como o tratávamos mal por causa de sua deformação. Aquelas crianças foram tão cruéis com ele, Julian. Fico de coração partido ao pensar nisso.

Quando ela falou isso, não sei, foi como se alguma coisa se partisse dentro de mim. Foi totalmente inesperado. Olhei para baixo e, de repente, comecei a chorar. Não estou falando de algumas lágrimas escorrendo pelo rosto — quero dizer chorar mesmo, de fazer o nariz escorrer.

— Julian — disse ela, baixinho.

Balancei a cabeça e cobri o rosto com as mãos.

— Eu fui horrível, Grandmère — sussurrei. — Fui tão mau com Auggie. Sinto tanto, Grandmère!

— Julian — insistiu ela. — Olhe para mim.

— Não!

— Olhe para mim, *mon cher*.

Ela pegou meu rosto e me forçou a fitá-la. Eu estava tão envergonhado! Não conseguia olhar nos olhos dela. De repente, aquela palavra que o Sr. Buzanfa tinha usado, aquela que todo mundo ficava empurrando para cima de mim, veio como um grito. REMORSO!

Sim, era isso. A palavra em toda a sua glória.

REMORSO. Eu estava tremendo de remorso. Chorando de remorso.

— Julian — disse Grandmère. — Todos nós cometemos erros, *mon cher.*

— Não, você não entende! — respondi. — Não foi só um erro. Eu *fui* um daqueles garotos que eram maus com Tourteau... Eu que estava fazendo bullying, Grandmère. Fui eu!

Ela balançou a cabeça.

— Eu o chamei de monstro. Ri pelas costas dele. *Deixei bilhetes cruéis!* — gritei. — Mamãe fica arranjando desculpas para as coisas que fiz... mas não tem justificativa. Eu apenas fiz! E nem sei por quê. Nem sei por quê!

Eu estava chorando tanto que mal conseguia falar.

Grandmère afagou minha cabeça e me abraçou.

— Julian — falou, com carinho. — Você é muito novo. Você sabe que as coisas que fez não estavam certas. Mas isso não significa que você não seja capaz de fazer o que é certo. Significa apenas que escolheu o caminho errado. Foi isso que eu quis dizer quando falei que você cometeu um erro. Foi o mesmo comigo. Eu cometi um erro com Tourteau. Mas o bom da vida, Julian, é que às vezes podemos consertar nossos erros. Aprendemos com eles. Nós nos tornamos pessoas melhores. Nunca mais cometi com ninguém o erro que cometi com Tourteau. E tive uma vida muito, muito longa. Você também vai aprender com esse erro. Deve prometer a si mesmo que nunca mais vai se comportar assim de novo. Um erro não define quem você é, Julian. Entende? Você pode simplesmente fazer a coisa certa da próxima vez.

Concordei, mas ainda chorei por muito, muito tempo.

Meu sonho

Naquela noite, sonhei com Auggie. Não me lembro de detalhes, mas acho que estávamos sendo perseguidos pelos nazistas. Auggie foi pego, mas eu tinha a chave para soltá-lo. E, no meu sonho, acho que o salvei. Ou talvez tenha sido isso o que disse a mim mesmo quando acordei. Com os sonhos, às vezes é difícil saber. Quer dizer, em meu sonho todos os nazistas se pareciam com os soldados do Império de Darth Vader, então é difícil dar muito significado aos sonhos.

Mas o que mais me pareceu interessante, quando pensei nisso, foi o fato de ter sido um sonho — não um pesadelo. E, no sonho, Auggie e eu estávamos do mesmo lado.

Acordei supercedo por causa do sonho e não voltei a dormir. Não parava de pensar em Auggie, em Tourteau — Julian —, o menino herói de quem eu recebera o nome. É estranho: durante todo esse tempo pensei em Auggie como se fosse meu inimigo, mas quando Grandmère me contou aquela história, não sei, a ficha meio que caiu. Fiquei pensando como o Julian original teria ficado envergonhado de saber que alguém que havia recebido seu nome tinha sido tão cruel.

Também fiquei pensando em como Grandmère parecia triste ao contar a história. Como se lembrava de todos os detalhes, mesmo que tudo tivesse acontecido, tipo, uns setenta anos atrás. Setenta anos! Será que Auggie se lembraria de mim daqui a setenta anos? Ainda se lembraria das coisas cruéis de que eu o havia chamado?

Não quero ser lembrado por coisas assim. Queria que se lembrassem de mim da mesma forma como Grandmère se lembra de Tourteau!

Sr. Buzanfa, eu entendo agora! R-E-M-O-R-S-O.

Eu me levantei assim que amanheceu e escrevi este bilhete:

Prezado Auggie,

Quero pedir desculpas pelas coisas que fiz ano passado. Tenho pensado muito nisso. Você não merecia. Queria poder voltar atrás. Eu seria mais legal. Quando você tiver oitenta anos, espero que não se lembre de como eu fui cruel. Seja feliz.

Julian

Obs.: Se foi você quem contou ao Sr. Buzanfa sobre os bilhetes, não se preocupe, não estou zangado.

Quando Grandmère acordou naquela tarde, li o bilhete para ela.

— Estou orgulhosa de você, Julian — disse, apertando meu ombro.

— Você acha que ele vai me perdoar?

Ela pensou um pouco.

— Isso é com ele — respondeu. — No fim, *mon cher*, tudo o que importa é que você se perdoe. Você está aprendendo com seu erro. Como eu aprendi com Tourteau.

— Você acha que Tourteau me perdoaria? — perguntei. — Se ele soubesse que eu, batizado em homenagem a ele, fui tão cruel?

Ela beijou minha mão.

— Tourteau perdoaria você — falou.

E eu sabia que era verdade.

Voltando para casa

Eu me dei conta de que não tinha o endereço de Auggie, então escrevi outro e-mail para o Sr. Browne perguntando se ele poderia mandar por mim o bilhete para Auggie. O Sr. Browne me respondeu na hora. Ficaria feliz em fazer isso. Também disse que estava orgulhoso de mim.

Fiquei feliz por isso. Tipo, feliz *mesmo*. E era bom ficar feliz. É meio difícil de explicar, mas acho que estava cansado de sentir que era um garoto horrível. Não sou. Como não paro de repetir, sou só um menino comum. Um menino típico, normal, comum. Que cometeu um erro.

Mas, naquele momento, eu estava tentando fazer a coisa certa.

Meus pais chegaram uma semana depois. Minha mãe não parava de me abraçar e beijar. Eu nunca tinha ficado tanto tempo longe de casa.

Eu estava animado para contar a eles sobre o e-mail do Sr. Browne e o bilhete que eu havia escrito para Auggie. Mas eles me contaram as novidades deles antes.

— Estamos processando a escola — disse mamãe, animada.

— O quê? — gritei.

— Seu pai está processando a Beecher Prep por quebra de contrato — respondeu ela, quase gritando.

Olhei para Grandmère, que não disse nada. Estávamos jantando.

— Eles não têm o direito de romper o contrato de matrícula — explicou meu pai, com calma, assumindo seu perfil de advogado. — Não antes de você ter sido aceito em outra escola. Hal tinha me dito, na sala dele, que esperariam para romper o contrato *depois* que você fosse aceito em outra escola. E que devolveriam o dinheiro. Tínhamos um acordo verbal.

— Mas eu ia para outra escola mesmo! — falei.

— Não importa — insistiu ele. — Mesmo que tivessem devolvido o dinheiro, o que conta são os princípios.

— Que princípios? — disse Grandmère. Ela se levantou da mesa. — Isso não faz sentido, Jules. É estúpido. *Estu-pido!* Absolutamente sem sentido!

— Maman! — exclamou meu pai. Ele parecia surpreso de verdade. E minha mãe também.

— Você deveria desistir dessa estupidez — disse Grandmère.

— Você não sabe dos detalhes, Maman — falou meu pai.

— Eu sei de *todos* os detalhes! — gritou ela, agitando o punho no ar. Parecia furiosa. — O garoto estava errado, Jules! O *seu* filho estava errado! Ele sabe disso. Você sabe disso. Ele fez coisas ruins com o outro menino e está arrependido, e você deveria deixar isso para lá.

Meus pais se entreolharam.

— Com todo o respeito, Sara — começou minha mãe —, acho que sabemos o que é melhor para...

— Não, vocês não sabem de nada! — gritou minha avó. — Vocês não sabem. Os dois são ocupados demais com processos e coisas assim.

— Maman — disse meu pai.

— Ela está certa, pai — falei. — A culpa foi toda minha. Toda a situação com Auggie. A culpa foi *minha*. Fui cruel com ele, sem motivo algum. Foi culpa minha Jack ter me dado um soco. Eu tinha chamado Auggie de monstro.

— O quê? — falou minha mãe.

— Escrevi aqueles bilhetes horríveis — continuei, depressa. — Fiz maldades. A culpa foi minha! Eu é que estava praticando bullying, mãe! Ninguém mais tem culpa disso, só eu!

Meus pais pareciam não saber o que dizer.

— Em vez de ficarem sentados aqui como dois idiotas — começou Grandmère, que sempre dizia as coisas sem rodeios —, deveriam dar os parabéns a Julian pela confissão! Ele está assumindo a responsabilidade! Está reconhecendo seus erros. É preciso muita coragem para fazer isso.

— Sim, claro — disse meu pai, coçando o queixo e olhando para mim. — Mas... acho que você não entende todos os desdobramentos legais. A escola recebeu nosso dinheiro e se recusou a devolvê-lo, o que...

— Blá-blá-blá — falou Grandmère, com um gesto de desprezo.

— Escrevi um bilhete pedindo desculpas a ele — contei. — Para Auggie. Escrevi um bilhete para ele e mandei por correio! Pedi desculpas pelo modo como agi.

— Você o quê? — perguntou meu pai. Ele estava ficando irritado.

— E também contei a verdade para o Sr. Browne — acrescentei. — Escrevi um longo e-mail para ele contando a história toda.

— Julian... — começou meu pai, a testa franzida de raiva. — Por que você fez isso? Eu disse que não queria que você escrevesse nada que admitisse...

— Jules! — disse Grandmère em voz alta, brandindo a mão na frente do rosto dele. — *Tu as un cerveau comme un sandwich au fromage!*

Não consegui segurar o riso. Papai se encolheu.

— O que ela disse? — perguntou minha mãe, que não sabia francês.

— Grandmère acabou de dizer que o cérebro do papai parece um sanduíche de queijo — respondi.

— Maman! — falou meu pai duramente, como se estivesse prestes a começar um longo sermão.

Mas minha mãe esticou a mão e tocou no braço dele.

— Jules — falou, baixinho. — Acho que sua mãe tem razão.

Inesperado

Às vezes as pessoas nos surpreendem. Nunca, nem em um milhão de anos, eu imaginaria que minha mãe voltaria atrás no que quer que fosse, por isso fiquei totalmente chocado com o que ela tinha acabado de dizer. Notei que papai estava chocado também. Ele olhava para ela como se não acreditasse no que ouvia. Grandmère era a única que não parecia surpresa.

— Você está brincando? — perguntou meu pai.

Mamãe fez que não com a cabeça devagar.

— Jules, a gente deveria acabar com isso. Seguir em frente. Sua mãe está certa.

Papai arqueou as sobrancelhas. Eu sabia que ele estava zangado, mas tentava não demonstrar.

— Foi você que nos colocou nessa guerra, Melissa!

— Eu sei! — respondeu ela, tirando os óculos. Seus olhos brilhavam muito. — Eu sei, eu sei. E achei que era coisa certa a fazer na época. Ainda não acho que o Buzanfa tenha lidado com tudo isso da forma correta, mas... Estou pronta para deixar tudo isso para trás, Jules. Acho que devemos simplesmente... esquecer e seguir em frente. — Ela deu de ombros. Olhou para mim. — Foi um grande gesto do Julian entrar em contato com esse garoto, Jules. É preciso muita coragem para isso. — Ela olhou de volta para meu pai. — Deveríamos apoiá-lo.

— Eu o apoio, é claro — falou papai. — Mas é uma mudança radical, Melissa! Quer dizer... — Ele balançou a cabeça e revirou os olhos ao mesmo tempo.

Minha mãe suspirou, sem saber o que dizer.

— Olhem aqui — falou Grandmère. — Não importa o que Melissa tenha feito, ela queria ver Julian feliz. E é só isso. *C'est tout.*

E ele está feliz agora. Dá para ver nos olhos dele. Pela primeira vez em muito tempo, seu filho está completamente feliz.

— É exatamente isso — disse minha mãe, secando uma lágrima.

Eu meio que senti pena dela nesse momento. Dava para ver que ela estava se sentindo mal por algumas coisas que havia feito.

— Pai — falei —, por favor, não processe a escola. Eu não quero isso. Está bem, pai? Por favor.

Ele se recostou na cadeira e sibilou baixinho, como se estivesse soprando uma vela em câmera lenta. Depois começou a estalar a língua no céu da boca. Ficou assim por um minuto inteiro. Nós apenas o observamos.

Por fim, ele se aprumou e olhou para a gente. Deu de ombros.

— Ok — falou, com as palmas das mãos para cima. — Vou desistir do processo. Vamos esquecer o dinheiro da matrícula. Tem certeza de que é isso que você quer, Melissa?

Mamãe assentiu.

— Tenho certeza.

Grandmère suspirou.

— Enfim, a vitória! — murmurou ela para sua taça de vinho.

Recomeçando

Voltamos para casa uma semana depois, mas não antes de Grandmère nos levar a um lugar muito especial: o vilarejo onde crescera. Achei incrível ela nunca ter contado ao papai a história de Tourteau. Tudo o que ele sabia era que uma família de Dannevilliers a ajudara durante a guerra, mas ela nunca lhe contara todos os detalhes. Ele nunca soube que sua própria avó tinha morrido em um campo de concentração.

— Maman, como você nunca me contou nada disso? — perguntou ele enquanto íamos de carro ao vilarejo.

— Ah, você me conhece, Jules — respondeu ela. — Não gosto de revirar o passado. A vida está diante de nós. Se perdemos muito tempo olhando para trás, não vemos aonde estamos indo!

O vilarejo estava muito diferente. Muitas bombas e granadas tinham explodido. A maioria das casas originais tinha sido destruída na guerra. A escola de Grandmère não existia mais. Não havia muito para ver. Apenas Starbucks e sapatarias.

Mas então fomos a Dannevilliers, que era onde Julian havia morado. O lugar estava intacto. Ela nos levou ao celeiro onde passara dois anos. O velho fazendeiro que morava ali nos deixou andar pela propriedade e dar uma olhada. Grandmère encontrou suas iniciais entalhadas em um cantinho de uma baia para cavalo, que era onde ela se escondia debaixo de montes de feno sempre que os nazistas estavam por perto. Ela parou no meio do celeiro, com uma das mãos no rosto, e olhou em volta. Parecia tão pequena ali dentro.

— Como você está, Grandmère? — perguntei.

— Eu? Ah! Bem — falou, sorrindo. Inclinou a cabeça. — Eu sobrevivi. Lembro-me de pensar, quando estava aqui, que o cheiro de estrume de cavalo nunca sairia das minhas narinas. Mas eu sobrevivi. E Jules nasceu porque eu sobrevivi. E você nasceu. Então que importância tem o cheiro de estrume de cavalo diante disso tudo? Perfume e tempo fazem tudo ficar mais fácil de suportar. Agora, tem mais um lugar que quero visitar...

Levamos cerca de dez minutos de carro até um minúsculo cemitério no limite do vilarejo. Grandmère nos levou direto a um túmulo na extremidade do cemitério.

Havia uma pequena placa de cerâmica branca em forma de coração. Nela, estava escrito:

ICI REPOSENT

Vivienne Beaumier
née le 27 avril 1905
décédée le 21 novembre 1985

Jean-Paul Beaumier
né le 15 mai 1901
décédé le 5 juillet 1985

Mère et père de
Julian Auguste Beaumier
né le 10 octobre 1930
tombé en juin 1944
Puisse-t-il toujours marcher le front haut
dans le jardin de Dieu

Olhei para minha avó, parada, os olhos fixos na placa. Ela beijou os dedos e depois se inclinou para tocar a cerâmica. Estava tremendo.

— Eles me trataram como uma filha — falou, as lágrimas rolando pelo rosto.

Ela começou a soluçar. Peguei sua mão e a beijei.

Mamãe pegou a mão do papai.

— O que diz a placa? — perguntou ela, baixinho.

Papai limpou a garganta.

— Aqui jaz Vivienne Beaumier... — traduziu ele. — E Jean-Paul Beaumier. Mãe e pai de Julian Auguste Beaumier, nascido em dez de outubro de 1930. Morto em junho de 1944. Que caminhe para sempre de cabeça erguida no jardim do Senhor.

Nova York

Voltamos para Nova York uma semana antes do início das aulas em minha nova escola. Foi bom estar no meu quarto de novo. Minhas coisas estavam todas iguais. Mas eu me sentia, não sei, um pouco diferente. Não consigo explicar. Sentia que estava mesmo recomeçando.

— Já venho ajudar você a desfazer as malas — disse minha mãe, correndo para o banheiro assim que entramos pela porta.

— Tudo bem — respondi.

Ouvi meu pai na sala escutando os recados da secretária eletrônica. Então identifiquei uma voz conhecida saindo do aparelho.

Parei o que estava fazendo e fui para a sala. Papai ergueu os olhos e pausou a gravação. Então voltou a mensagem para que eu a escutasse.

Era Auggie Pullman.

— Ah, oi, Julian. É, então... Humm... Só queria dizer que recebi seu bilhete. E, hum... é, obrigado por ter escrito. Não precisa me ligar de volta. Eu só queria dar um oi. Está tudo bem. Ah, e a propósito, não fui eu que falei dos bilhetes para o Sr. Buzanfa, só para você saber. Também não foi o Jack nem a Summer. Realmente não sei como ele descobriu, mas isso não tem importância. Então, ok. Enfim, espero que goste da escola nova. Boa sorte. Tchau!

Clique.

Papai me olhou para ver como eu iria reagir.

— Uau — falei. — Por essa eu não esperava.

— Você vai ligar de volta para ele?

Fiz que não com a cabeça.

— Não — respondi. — Sou covarde demais.

Papai se aproximou de mim e pôs a mão no meu ombro.

— Acho que você provou que é tudo *menos* covarde — falou. — Estou orgulhoso de você, Julian. Muito orgulhoso. — Ele se inclinou e me abraçou. — *Tu marches toujours le front haut.*

Sorri.

— Espero que sim, pai.

Espero que sim.

Plutão

Plutão

Uma história

EXTRAORDINÁRIA

Observações contemporâneas estão mudando nosso entendimento dos sistemas planetários, e é importante que a nomenclatura dos objetos reflita essa compreensão atual. Isso se aplica, em particular, à designação "planetas". Originalmente, a palavra "planeta" descrevia "corpos itinerantes" conhecidos apenas como luzes que se moviam no céu. Descobertas recentes nos levaram a criar uma nova definição, com base em informações científicas atualmente disponíveis.

— União Astronômica Internacional (IAU), Resolução B5

• • •

Acho que não é culpa de ninguém
Estamos saindo do chão
Algum dia as coisas voltarão a ser as mesmas?

— "The Final Countdown", Europe

• • •

É tão misterioso, o país das lágrimas!

— Antoine de Saint-Exupéry, *O pequeno príncipe*

Apresentações

Eu tinha dois dias de vida quando conheci Auggie Pullman. É claro que não lembro como foi, mas mamãe me contou. Meus pais tinham acabado de chegar em casa do hospital comigo nos braços, e os pais do Auggie também tinham acabado de chegar do hospital com ele. Mas o Auggie já estava com três meses. Ele teve que ficar internado para fazer algumas cirurgias, porque não conseguia respirar e engolir direito. A maioria das pessoas não pensa muito nisso, porque são duas coisas que fazemos de modo automático. Mas não eram automáticas para o Auggie quando ele nasceu.

Meus pais me levaram à casa dele para que fôssemos apresentados. O Auggie estava na sala, conectado a vários equipamentos médicos. Minha mãe me colocou frente a frente com ele, dizendo:

— August Matthew Pullman, este é Christopher Angus Blake, seu primeiro e mais antigo amigo.

E nossos pais aplaudiram e brindaram à ocasião.

Minha mãe e a do Auggie, Isabel, já eram melhores amigas antes de nascermos. Elas se conheceram no supermercado da Amesfort Avenue, logo que meus pais se mudaram para o bairro. Como teriam um filho em breve e moravam na mesma rua, uma de frente para a outra, as duas decidiram criar um grupo de mães — que é quando um monte de mães passeia e se diverte junto. No início, eram seis ou sete mulheres no grupo, além da mamãe e da Isabel. Elas fizeram alguns encontros quando ainda estavam grávidas, mas, depois que o Auggie nasceu, só duas continuaram no grupo: a mãe do Zachary e a do Alex. Não sei o que aconteceu com as outras.

Nos primeiros anos, as quatro mães do grupo — junto com a gente, os bebês — saíam juntas quase todo dia. Elas corriam no parque com a gente nos carrinhos. Faziam longas caminhadas pela margem do rio com a gente nos *slings*. Almoçavam no Heights Lounge com a gente nas cadeirinhas.

As únicas vezes em que o Auggie e a mãe não saíam com o grupo era quando precisavam ir ao hospital. Ele passou por muitas cirurgias, porque, além de respirar e engolir, muitas outras coisas não eram automáticas para ele. Comer, por exemplo. Falar. Na verdade, o Auggie não conseguia nem fechar completamente a boca. Era para ele conseguir fazer essas coisas que precisavam operá-lo. Mas mesmo depois das cirurgias o Auggie nunca comeu, ou falou, ou fechou a boca como o Zack, o Alex e eu. Mesmo depois das cirurgias ele ainda era muito diferente da gente.

Acho que só fui entender de verdade que o Auggie é *muito* diferente de todo mundo quando eu tinha quatro anos. Era inverno, e o Auggie e eu estávamos brincando no parquinho ao ar livre, embrulhados em um monte de casacos e cachecóis. Subimos a escada até o alto do brinquedão, aquela casinha que junta um monte de brinquedos, e esperamos na fila para descer pelo escorrega. Quando estava chegando a nossa vez, a garotinha no início da fila ficou com medo e se virou para descer pela escada. Foi quando ela viu o Auggie. Ela arregalou os olhos e ficou paralisada, depois começou a chorar e a gritar histericamente. Estava tão transtornada que nem conseguia sair do brinquedo. A mãe teve que subir para buscar a menina. Então o Auggie começou a chorar também, porque sabia que tinha sido por causa dele, e cobriu o rosto com o cachecol para que ninguém o visse. A mãe dele também teve que subir para buscá-lo. Não me lembro dos detalhes, mas sei que foi uma grande comoção. Várias pessoas se juntaram em volta do escorrega, todo mundo cochichando. Lembro que fomos embora do parquinho bem depressa. Lembro que vi lágrimas nos olhos da Isabel quando estávamos voltando para casa.

Essa foi a primeira vez que eu percebi como o Auggie é diferente. Mas não foi a última. Assim como respirar e engolir, chorar também é automático para a maioria das crianças.

7h08

Não sei por que eu estava pensando no Auggie hoje. Já faz três anos que nos mudamos, e eu não o vejo desde a festa no boliche que ele deu para comemorar o aniversário, em outubro. Talvez eu tivesse sonhado com ele. Não sei. Bom, eu estava pensando no Auggie quando mamãe entrou no meu quarto, pouco depois de eu ter desligado o despertador.

— Acordado, querido? — perguntou ela, baixinho.

Como resposta, cobri o rosto com o travesseiro.

— Hora de acordar, Chris — disse mamãe, toda animada, já abrindo as cortinas.

Mesmo de olhos fechados e com a cabeça embaixo do travesseiro, notei a claridade excessiva no quarto.

— Fecha as cortinas! — resmunguei.

— Parece que hoje vai chover o dia todo — comentou mamãe, com um suspiro. E não fechou as cortinas. — Anda logo, senão você vai se atrasar de novo. E ainda tem que tomar banho.

— Mas eu tomei banho, sei lá, antes de ontem.

— Exatamente!

— Urgh — resmunguei.

— Vamos lá, rapazinho — insistiu ela, dando um tapinha no travesseiro.

Descobri o rosto.

— Tudo bem! — gritei. — Já acordei! Feliz, agora?

— Você é tão ranzinza de manhã — disse mamãe, balançando a cabeça. — Onde foi parar aquele meu garotinho doce?

— Lisa!

Mamãe odeia quando eu a chamo pelo nome. Achei que ela fosse sair do meu quarto depois disso, mas não; começou a catar as roupas do chão, jogando todas no cesto.

— Aliás, aconteceu alguma coisa ontem à noite? — perguntei, ainda de olhos fechados. — Ouvi você falando no telefone com a Isabel quando eu estava indo para a cama. Parecia alguma coisa ruim...

Mamãe se sentou na beirada da cama. Esfreguei os olhos para despertar.

— O que foi? É muito ruim? Acho que sonhei com o Auggie essa noite.

— Não, o Auggie está bem — respondeu mamãe, franzindo um pouco a testa. Ela afastou o cabelo dos meus olhos. — Eu ia esperar um pouco para...

— O que houve?!

— Sinto muito, querido, mas a Daisy morreu ontem à noite.

— O quê?

— Sinto muito, meu bem.

— Daisy!

Cobri o rosto com as mãos.

— Lamento, meu amor. Sei que você gostava muito dela.

Darth Daisy

Eu me lembro do dia em que o pai do Auggie levou a Daisy para casa. O Auggie e eu estávamos no quarto dele jogando *Trouble*, um jogo de tabuleiro, quando de repente ouvimos um gritinho no andar de baixo. Era a Via, a irmã mais velha do Auggie. A Isabel e a Lourdes, minha babá, começaram a falar mais alto, muito animadas. Então descemos correndo para saber o motivo da comoção.

O Nate, pai do Auggie, estava sentado na cozinha com um cachorro de pelo amarelo se revirando no colo. A Via estava ajoelhada na frente dele, tentando fazer carinho no cão, mas tinha que ficar tirando a mão porque o bichinho estava meio hiperativo e só queria saber de lambê-la.

— Um cachorro! — gritou o Auggie, animado, correndo até o pai.

Corri também, mas a Lourdes me segurou pelo braço, dizendo:

— Nem pensar, *papi*.

Era minha nova babá, então eu não a conhecia muito bem. Lembro que ela botava talco nos meus tênis, e até hoje faço isso, porque me lembra ela.

A Isabel estava do outro lado da cozinha, junto da Lourdes, o rosto nas mãos. Era óbvio que o Nate tinha acabado de chegar.

— Não acredito que você fez isso — repetia ela sem parar.

— Por que eu não posso fazer carinho nele? — perguntei à babá.

— Porque o Nate disse que até três horas atrás esse cachorro morava na rua com um mendigo — respondeu ela, depressa. — É nojento.

— Ela não é nojenta… é linda! — retrucou a Via, dando um beijo na testa do bicho.

— No meu país, os cães ficam do lado de fora — comentou a Lourdes.

— Ele é tão fofo! — disse o Auggie.

— É *ela*! — corrigiu a Via mais do que depressa, dando uma cotovelada no irmão.

— Cuidado, Auggie! — alertou a Isabel. — Não deixe que ela lamba seu rosto.

Mas a cadela já estava passando a língua na cara toda do Auggie.

— O veterinário disse que ela está com a saúde perfeita — disse o Nate para a esposa e a Lourdes.

— Nate, esse bicho morava na rua! — retrucou a Isabel. — Quem garante que ele não vai transmitir alguma doença?

— O veterinário deu todas as vacinas, um bom banho, vermifugou — respondeu o Nate. — A filhotinha está nos trinques.

— Ela não é filhote coisa nenhuma, Nate — disse a Isabel.

Era verdade: definitivamente, ela não era filhote. Não era pequena, rechonchuda e macia como os filhotes costumam ser. Era magra e ossuda, com uns olhos esbugalhados e uma língua esquisita, muito comprida e escura, que ficava meio caída para fora, no canto da boca. Nem pequena ela era. Era do tamanho do labradoodle da minha avó.

— Hum — fez Nate. — Bem, é *quase* um filhote, então.

— Qual é a raça dela? — perguntou o Auggie.

— O veterinário acha que é um mestiço de labrador amarelo com alguma outra raça — respondeu o Nate. — Talvez chow-chow?

— Está mais para pit bull — disse a Isabel. — Ele ao menos identificou quantos anos ela tem?

O Nate deu de ombros.

— Dois ou três. Ele não tem certeza porque normalmente isso se avalia pelos dentes, e os dela não estão bons. Afinal, sabe como é, deve ter comido só porcaria a vida inteira.

— Lixo e rato morto — completou a Lourdes, como se tivesse plena certeza do que dizia.

— Ai, meu Deus… — murmurou a Isabel, passando a mão no rosto.

— O hálito dela é mesmo horrível — falou a Via, abanando a mão na frente do nariz.

O Nate ergueu os olhos para a esposa.

— Isabel, ela estava destinada a ser nossa.

— Espera aí, você está dizendo que vamos *ficar* com ela? — perguntou a Via, os olhos totalmente arregalados de empolgação. — Achei que fôssemos só ficar de babá até encontrarmos um lar para ela!

— Acho que o lar dela deveria ser *aqui* — disse o Nate.

— Sério, pai?! — gritou o Auggie.

O Nate sorriu e apontou com o queixo para a esposa.

— Mas isso depende da mãe de vocês.

— Você só pode estar de brincadeira! — gritou a Isabel quando os filhos correram até ela e começaram a implorar, as mãos unidas como se estivessem na igreja rezando.

— Por favor, por favor, por favor, por favor, por favor, por favor, por favor, por favor, por favor — repetiam os dois, sem parar. — Por favor, por favorzinho, por favor, por favor, por favor?

— Não acredito que você está fazendo isso comigo, Nate! Como se a nossa vida já não fosse bem complicada, não é?

O Nate sorriu e baixou os olhos para a cadela, que olhava para ele.

— Olhe só pra ela, querida! Estava com fome e frio. O mendigo me pediu dez pratas por ela. O que eu ia fazer, dizer não?

— Isso — falou a Lourdes. — Simples assim.

— Salvar a vida de um cãozinho traz bom carma! — respondeu o Nate.

— Não aceite, Isabel — alertou a Lourdes. — Cachorros são sujos e fedidos. E têm germes. Além do mais, sabe quem vai acabar tendo que passear com ela e catar o cocô? — E apontou para a Isabel.

— Não é verdade, mamãe! — disse a Via. — Prometo que vou passear com ela. Todo dia.

— Eu também! — emendou o Auggie.

— Vamos tomar conta dela direitinho — continuou a Via. — Vamos dar comida. Tudo.

— Tudo! — repetiu o Auggie. — Por favor, mamãe. Por favor, por favor, por favor.

— Por favor, por favor, por favor... — pediu a Via, ao mesmo tempo.

A Isabel massageava as têmporas com os dedos, como se estivesse com dor de cabeça. Por fim, ela olhou para o Nate e deu de ombros.

— Acho que é loucura, mas... tá. Tudo bem.

— Sério? — gritou a Via, dando um abraço apertado na mãe. — Obrigada, mamãe! Muito obrigada! Prometo que vou cuidar dela.

— Obrigado, mamãe! — repetiu o Auggie, abraçando-a também.

— Ebaaaa! Obrigado, Isabel! — disse o Nate, batendo palmas com as patas dianteiras da cadela.

— Posso fazer carinho nela agora? — pedi à Lourdes, me soltando antes que ela pudesse me impedir de novo e me enfiando entre o Auggie e a Via.

Então o Nate a colocou no tapete. A cadela literalmente rolou, ficando deitada de costas para coçarem sua barriga, e fechou os olhos. Parecia que ela estava sorrindo. A língua preta e comprida chegava a encostar no tapete, pendendo pela lateral da boca.

— Foi exatamente assim que eu a encontrei — comentou o Nate, apontando para ela.

— Nunca vi uma língua tão comprida em toda a minha vida — disse a Isabel, agachando-se perto de nós, mas ainda sem fazer carinho nela. — Parece um diabo-da-tasmânia.

— É uma cadelinha linda — retrucou a Via. — Qual o nome dela?

— Que nome vocês querem dar? — perguntou o Nate.

— Tem que ser Daisy! — respondeu a Via, sem hesitar. — Ela é amarela como uma margarida.

— É um bom nome — concordou a Isabel, que enfim tinha começado a fazer carinho na cadela. — Mas ela meio que parece uma leoa. Podemos chamá-la de Elsa.

— Já sei qual vai ser o nome dela — falei, cutucando o Auggie. — Darth Maul!

— Esse é o nome mais idiota do mundo para uma cadela! — respondeu a Via, indignada.

Eu a ignorei.

— Sacou, Auggie? Do *Star Wars*!

— Isso! Darth Maul!

— Não vamos dar esse nome a ela! — falou a Via, de nariz em pé.

— Oi, Darth Maul! — disse o Auggie, beijando o focinho rosado da cadela. — Pode ser só Darth, para ficar mais curto.

A Via olhou para o pai.

— Papai, não vamos dar esse nome a ela!

— Até que soa bem — respondeu o Nate, dando de ombros.

— Mamãe! — protestou a Via, zangada.

— Concordo com a Via — disse a Isabel. — Não acho um bom nome. Ainda mais para uma cadelinha assim, com essa carinha.

— Então vai ser só Darth — insistiu o Auggie.

— Isso é ridículo — falou a Via.

— Olha, já que a mamãe deixou a gente ficar com a cachorrinha — ponderou o Nate —, ela é que deve decidir o nome.

— Pode ser Daisy, mãe? — perguntou a Via.

— Pode ser Darth, mãe? — perguntou o Auggie.

A Isabel olhou para o marido.

— Você realmente me deixou numa enrascada, Nate.

Ele riu.

E foi assim que acabaram chamando a cadela de Darth Daisy.

7h11

— Como a Daisy morreu? — perguntei à mamãe. — Foi atropelada?

— Não — respondeu ela, acariciando meu braço. — A Daisy já estava velha, querido. Era a hora dela.

— Ela não era tão velha assim.

— Estava doente.

— O quê? Então botaram ela para dormir? — perguntei, indignado. — Como puderam fazer isso?

— Querido, a Daisy estava sofrendo. Eles não queriam isso. Isabel disse que ela morreu em paz, nos braços do Nate.

Tentei imaginar como teria sido, a Daisy morrendo nos braços do Nate. Fiquei me perguntando se o Auggie estava lá quando aconteceu.

— Como se aquela família já não tivesse passado por coisas demais — acrescentou mamãe.

Não falei nada. Só fiquei olhando para o teto, cheio de adesivos em formato de estrela, daqueles que brilham no escuro. Alguns estavam descolando, presos apenas por uma ou duas pontas. Alguns tinham caído em mim, como pingos de chuva pontudos.

— A propósito, você nunca ajeitou as estrelas — falei, sem pensar.

Minha mãe não entendeu do que eu estava falando.

— O quê?

— Você disse que ia colar de novo os adesivos do teto — falei, apontando para cima. — Estão caindo em mim.

Ela olhou para o alto.

— Ah, sim — disse mamãe.

Acho que ela não esperava que a conversa sobre a Daisy terminasse tão depressa. Mas eu não queria mais falar sobre aquilo.

Mamãe ficou de pé em cima da cama, pegou um dos sabres de luz que ficam na minha estante e, com a ponta, tentou grudar de volta uma das estrelas maiores.

— Tem que passar cola, Lisa — falei, assim que a estrela de plástico caiu na cabeça dela.

— É — respondeu mamãe, tirando-a do cabelo. Ela desceu da cama de um pulo. — Será que você pode não me chamar de Lisa, por favor?

— Claro, Lisa.

Ela revirou os olhos e apontou o sabre de luz para mim, como se fosse me atacar.

— Aliás, obrigado por me acordar com notícias tão ruins — falei, sarcástico.

— Ei, foi você que perguntou — retrucou ela, guardando o sabre de luz na estante. — Eu ia esperar até de tarde para contar.

— Por quê? Não sou mais um bebê, Lisa. Eu nem via mais a Daisy. Quer dizer, eu gostava dela, claro, mas era a cachorrinha do Auggie, não minha.

— Achei que você fosse ficar muito chateado.

— Eu estou! Só não vou, tipo, começar a chorar nem nada.

— Então tá — disse ela, me olhando.

— O que foi? — perguntei, impaciente.

— Nada. Você tem razão. Não é mais um bebê. — Ela olhou para a estrela de plástico ainda grudada no dedo e, sem dizer mais nada, se abaixou e a colou na minha testa. — A propósito, você deveria ligar para o Auggie hoje.

— Para quê?

— Para quê? — Ela ergueu as sobrancelhas. — Para dizer que sente muito pela morte da Daisy. Para dar os pêsames. Porque ele é o seu melhor amigo.

— Ai, tá bom — murmurei.

— "Ai, tá bom" — repetiu ela, me remedando.

— Tudo bem, Lisa. Já entendi!

— Seu mal-humoradinho — falou, ao sair. — Você tem três minutos, Chris. Depois, tem que se levantar. Vou ligando o chuveiro para você.

— Fecha a porta! — gritei quando mamãe estava saindo.

— Por favor! — gritou ela, do corredor.

— Fecha a porta, POR FAVOR!

Ela bateu a porta.

Minha mãe é tão chata às vezes!

Tirei a estrela da testa e fiquei olhando para o adesivo. Mamãe colou aqueles enfeites no teto logo que fomos morar em Bridgeport. Ela fez tudo que podia para que eu gostasse da casa nova. Até prometeu que teríamos um cachorrinho depois que nos ajeitássemos. Mas nunca cumpriu o prometido. Só tivemos um hamster, que não se compara a um cachorro. Nem de longe. Um hamster é basicamente uma batata morna com pelos. Tudo bem, ele se mexe, é fofo e tal, mas não se deixe enganar: não é a mesma coisa que um cachorro. Chamei meu hamster de Luke. Mas ele não era a Daisy.

Pobre Daisy! Era difícil acreditar que ela tinha morrido.

Mas eu não estava com cabeça para pensar nela.

Comecei a recapitular tudo que eu pretendia fazer no dia. Ensaiar com a banda de rock da escola; estudar para a prova de matemática do dia seguinte; começar o trabalho sobre um livro, para entregar na sexta-feira; jogar *Halo*. Talvez assistir a *Amazing Race* à noite.

Joguei a estrela de plástico para o alto e fiquei vendo-a girar pelo quarto. Caiu na ponta do tapete, perto da porta.

Muitas coisas para fazer. Seria um longo dia.

Mas, mesmo enquanto eu pensava nisso, sabia que ligar para o Auggie não estava na minha lista de tarefas.

Amizades

Não lembro quando exatamente o Zack e o Alex pararam de andar com a gente. Acho que foi mais ou menos quando o Auggie e eu entramos no jardim de infância.

Antes disso, a gente se via quase todo dia. Normalmente íamos à casa do Auggie, já que volta e meia ele tinha algum problema de saúde e não podia sair. Não eram doenças contagiosas nem nada, mas mesmo assim o impediam de sair. A gente gostava de ir lá. Os pais do Auggie tinham transformado o porão da casa em uma espécie de sala de jogos, então era basicamente como estar em uma loja de brinquedos. Tinha jogos de tabuleiro, trenzinhos elétricos, mesas de *aero hockey* e de totó, até uma minicama elástica nos fundos. Nós quatro passávamos literalmente horas no porão, correndo pra lá e pra cá, fazendo duelos de sabre de luz que duravam o dia inteiro e corridas em bolas pula-pula. Fazíamos guerras de bexigas d'água. Empilhávamos caixas de papelão até formar montanhas gigantescas e brincávamos de avalanche. Nossas mães diziam que éramos os Quatro Mosqueteiros, porque vivíamos juntos. E mesmo depois que todas elas, exceto a Isabel, voltaram a trabalhar, as babás continuaram a nos levar para brincar juntos todo dia. Visitávamos o zoológico do Bronx e íamos ver os navios piratas na região de South Street Seaport. Fazíamos piqueniques no parque. Até fomos a Coney Island algumas vezes.

Depois que entramos para o jardim de infância, o Zack e o Alex passaram a sair para brincar com outras crianças. Eles não estudavam na mesma escola que eu, porque moravam do outro lado do parque, então já não os víamos mais com tanta frequência. Às vezes, quando esbarrávamos com os dois no parque, até tentávamos nos aproximar, mas os amigos novos deles pareciam não gostar da gente. Quer dizer, não é bem isso: os amigos novos deles não gostavam *do Auggie*. O próprio Zack me contou. Lembro que comentei isso com mamãe, e ela me explicou que algumas crianças poderiam se sentir "desconfortáveis" perto do Auggie, por causa da aparência dele. Foi essa a palavra que ela usou: desconfortáveis. Mas não foi a palavra que o Zack e o Alex usaram. Eles disseram que os amigos ficavam "assustados".

Eu sabia que o Zack e o Alex não ficavam desconfortáveis nem assustados com o Auggie, então não entendi por que *eles* pararam de brincar com a gente. Quer dizer, eu também fiz amigos novos na escola, mas nem por isso parei de brincar com o Auggie. Se bem que eu nunca saía com eles e com o Auggie juntos, porque, bem, misturar amigos é esquisito mesmo nas melhores circunstâncias. Na verdade, acho que também não queria que ninguém se sentisse desconfortável ou assustado.

Aliás, o Auggie também tinha o próprio grupinho de amigos. Eram de uma organização de apoio para crianças com "anomalias craniofaciais", o mesmo tipo de problema que ele tinha. Todo ano eles iam à Disney ou a algum outro lugar divertido, várias famílias juntas. O Auggie adorava essas viagens. Ele tinha amigos no país inteiro. Mas essas crianças não moravam perto da gente, então o Auggie raramente as encontrava.

Eu conheci um desses amigos uma vez, um garoto chamado Hudson. Ele tinha uma síndrome diferente, com os olhos muito afastados e meio esbugalhados. O Hudson estava passando alguns dias na casa do Auggie com os pais, que vieram a Nova York para levá-lo a algumas consultas com os médicos do hospital em que o Auggie se tratava. O Hudson tinha a mesma idade que a gente. Lembro que ele gostava muito de *Pokémon*.

Enfim, foi legal brincar com eles naquele dia, embora eu não seja lá muito fã de *Pokémon*. Só que depois saímos todos juntos para jantar — e foi aí que eu comecei a me sentir mal. Era incrível como as pessoas encaravam a gente! Tipo, quando eu saía só com o Auggie, normalmente olhavam para ele e nem me notavam. Eu estava acostumado. Mas, com o Hudson junto, foi muito pior. As pessoas olhavam para o Auggie primeiro, depois para o Hudson, e depois, automaticamente, se viravam para mim como se estivessem se perguntando o que havia de errado comigo também. Reparei em um adolescente me encarando como se quisesse descobrir o que estava fora do lugar no meu rosto. Foi um saco! Tive vontade de gritar. Não via a hora de ir para casa.

No dia seguinte, como eu sabia que o Hudson ainda estaria lá, perguntei à Lourdes se eu podia ir brincar na casa do Zack depois da escola, em vez de ir à casa do Auggie. Não é que eu não tenha gostado do Hudson; eu gostei. Mas eu nem curto *Pokémon* e, definitivamente, não queria que ficassem me encarando de novo se saíssemos juntos.

Acabei me divertindo à beça na casa do Zack. O Alex também foi, e nós três ficamos jogando bola no quintal dele. Foi realmente como nos velhos tempos — a única diferença era que o Auggie não estava com a gente. Mas foi legal. Ninguém ficou olhando para a nossa cara. Ninguém se sentiu desconfortável. Ninguém ficou assustado. Brincar com o Zack e o Alex era fácil. Foi então que eu entendi por que eles tinham se afastado. Ser amigo do Auggie era bem difícil às vezes.

Por sorte, o Auggie nunca me perguntou por que eu não fui à casa dele naquele dia. Fiquei aliviado por isso. Eu não sabia como poderia dizer que ser amigo dele também era difícil para mim às vezes.

8h26

Não sei por quê, mas chegar à escola na hora é quase impossível para mim. Sério, não entendo o que acontece. Todo dia é a mesma coisa. Eu não ouço o despertador, e mamãe ou papai me acorda. Não importa se tomo banho ou não, se tomo um café da manhã demorado ou só como um biscoito, eu acabo me enrolando para sair, mamãe gritando "anda logo e pega o casaco", "anda logo e amarra o tênis". E, mesmo nas raras ocasiões em que conseguimos sair a tempo, eu esqueço alguma coisa, então temos que voltar de qualquer jeito. Às vezes, é o dever de casa; às vezes, o trombone. Não sei por que isso acontece comigo, não sei mesmo. Só sei que é assim. Tanto faz se durmo na casa da minha mãe ou na do meu pai; sempre me atraso.

Hoje eu tomei um banho curto, me vesti bem rápido, comi um biscoito e consegui sair a tempo. Só depois dos quinze minutos que levamos para chegar de carro à escola foi que eu me dei conta de que tinha esquecido o trabalho de ciências, o short de educação física e o trombone. Bati meu recorde de coisas esquecidas.

— Você só pode estar brincando — disse mamãe quando contei a ela, me olhando pelo retrovisor.

— É sério! — falei, roendo as unhas de nervosismo. — Podemos voltar?

— Chris, você já está atrasado! Com essa chuva, vamos levar quarenta minutos para chegar em casa e voltar à escola. Não. Você vai para a aula, e eu escrevo um bilhete ou algo assim.

— Não posso aparecer sem o trabalho de ciências! — argumentei. — A aula é no primeiro tempo!

— Devia ter pensado nisso antes de sair de casa! — respondeu ela. — Agora vai, saia do carro, ou ainda por cima vai se atrasar para a aula. Olha lá, os ônibus já estão até indo embora! — Ela apontou para o estacionamento. Realmente, os ônibus escolares já começavam a sair.

— Lisa! — falei, em pânico.

— O que foi, Chris? — disparou ela de volta. — O que você quer que eu faça? Não posso me teletransportar.

— Não pode ir em casa e buscar as coisas para mim?

Ela passou os dedos pelo cabelo, que estava molhado de chuva.

— Quantas vezes já falei para você arrumar suas coisas na noite anterior, para não esquecer nada, hein?

— Lisa!

— Tudo bem. Vai para a aula que eu busco as suas coisas. Agora saia logo do carro, Chris.

— Mas você tem que correr!

— Vai! — Ela se virou e me lançou aquele olhar que ela faz às vezes: os olhos ficam enormes e ela fica parecendo um passarinho do *Angry Birds*. — Saia do carro e entre na escola! Já!

— Tá bom!

Saí do carro batendo os pés. Tinha começado a chover mais forte e é claro que eu não tinha guarda-chuva.

Ela baixou o vidro da janela.

— Tome cuidado até chegar à calçada!

— Trombone, trabalho de ciências, short de educação física — lembrei a ela, contando nos dedos.

— Olhe por onde anda — disse ela, assentindo. — Isto é um estacionamento, Chris!

— A professora vai me tirar dois pontos se eu não entregar o trabalho até o fim do primeiro tempo! — insisti. — Você tem que voltar antes!

— Eu sei, Chris. Agora saia do estacionamento, meu bem.

— Trombone, trabalho de ciências, short de educação física! — repeti, andando de costas em direção à entrada.

Uma bicicleta passou por mim e desviou para não me atropelar.

— Olhe por onde anda, Chris!

— Desculpa! — falei para o homem na bicicleta, que carregava na cestinha um bebê todo embrulhado em mantas.

O cara me olhou com ar de reprovação e saiu pedalando.

— Chris! Você tem que olhar por onde anda! — gritou mamãe.

— Quer parar de gritar? — gritei de volta.

Ela respirou fundo e esfregou a testa.

— Saia. Do. Estacionamento. POR FAVOR — falou ela, entre os dentes cerrados.

Eu me virei, olhei para os dois lados de um jeito exagerado e atravessei o estacionamento até o caminho que leva à entrada da escola. A essa altura, estava saindo o último ônibus escolar.

— Feliz, agora? — perguntei ao chegar à entrada.

Mesmo a mais de cinco metros de distância, ouvi mamãe suspirar.

— Vou deixar as suas coisas na secretaria — disse ela, girando a chave na ignição e olhando para trás enquanto dava a marcha a ré lentamente para sair da vaga. — Tchau, querido. Tenha um bom...

— Espera!

Corri até o carro em movimento. Ela freou, cantando pneu.

— Chris!

— Esqueci a mochila — falei, abrindo a porta do carro para alcançar o banco traseiro.

Pelo canto do olho, vi que ela balançava a cabeça.

Peguei a mochila, fechei a porta, olhei novamente para os dois lados de um jeito exagerado e fui correndo até o caminho que leva à entrada. A chuva agora caía com força. Levantei o capuz para proteger a cabeça.

— Trombone! Trabalho de ciências! Short de educação física! — gritei, sem olhar para mamãe, e corri para a entrada da escola.

— Te amo! — ouvi minha mãe gritar.

— Tchau, Lisa!

Consegui entrar um segundo antes de o primeiro sinal tocar.

9h14

Passei a aula de ciências inteira olhando para o relógio. Quando faltavam uns dez minutos para o sinal tocar, pedi para ir ao banheiro. Corri até a secretaria o mais rápido que consegui e pedi à Sra. Denis, a velhinha gentil que fica no balcão, que me entregasse as coisas que minha mãe tinha deixado.

— Sinto muito, Christopher, mas sua mãe não deixou nada aqui.

— O quê?

— Ela disse que horas viria? — perguntou a Sra. Denis, olhando para o relógio. — Passei a manhã inteira aqui. Tenho certeza de que não foi um desencontro.

Ela deve ter visto a cara de pavor que eu fiz, porque indicou que eu desse a volta no balcão e apontou para o telefone.

— Por que não liga para ela, querido?

Liguei para o celular da mamãe, mas caiu na caixa postal.

— Oi, mãe. Sou eu. Você... hum... você não está aqui e são... — Olhei para o relógio de parede. — São nove e catorze. Vou me ferrar muito se você não aparecer em dez minutos, então... É. Valeu mesmo, Lisa.

Desliguei.

— Tenho certeza de que ela vai chegar a qualquer minuto — disse a Sra. Denis. — O trânsito está muito complicado por causa das obras. E a chuva aumentou muito...

— É.

Voltei para a aula.

De início, achei que estivesse com sorte, pois a professora não falou nada sobre o trabalho, mas assim que o sinal tocou ela avisou para o deixarmos na mesa dela antes de sairmos da sala.

Esperei a turma toda ir embora para só então me aproximar da mesa dela.

— Hum... Sra. Kastor? — comecei.

— Pois não, Christopher?

— É que... hum... me desculpe, mas eu esqueci o trabalho em casa...? — Ela continuou apagando o quadro-negro. — Minha mãe está trazendo, mas ela ficou presa na chuva...?

Não sei bem por quê, mas, quando falo com professores e fico um pouco nervoso, termino as frases elevando a voz no fim de cada frase e tudo fica parecendo uma pergunta.

— É a quarta vez que você esquece um trabalho neste semestre, Christopher.

— Eu sei. — Dei de ombros e sorri. — Mas não sabia que *a senhora* sabia! Ha. — Ela não esboçou nem um sorrisinho diante da minha tentativa de fazer graça. — Eu só quis dizer que não sabia que a senhora estava registrando...

— São menos dois pontos, Chris.

— Mesmo se eu entregar no próximo tempo?

Sei que eu estava parecendo um chorão a essa altura.

— Regras são regras.

— É tão injusto... — murmurei, balançando a cabeça.

Então o segundo sinal tocou. Corri para a aula seguinte antes que ela pudesse responder ao meu comentário.

10h05

O Sr. Wren, meu professor de música, ficou tão zangado por eu ter esquecido o trombone quanto a Sra. Kastor por causa do trabalho de ciências. Para começar, eu tinha dito a ele que hoje emprestaria meu instrumento à Katie, a primeira trombonista, para que ela pudesse treinar o solo que faria no concerto de primavera. Vai ser na quarta-feira à noite. O trombone da Katie estava no conserto, e o único reserva estava tão amassado que a vara nem passava da quarta posição. Ou seja, não foi só o Sr. Wren que ficou bravo. E a Katie é o tipo de garota que você não quer deixar irritada. Ela é mais alta que todo mundo da classe e, quando fica zangada, lança olhares realmente assustadores.

Expliquei à Katie que minha mãe já estava chegando com o trombone, então ela não olhou feio para mim logo de cara, e, para não passar a aula inteira sem fazer nada, usou o trombone amassado mesmo. Em geral, quando as pessoas esquecem o instrumento, o Sr. Wren as manda ficarem sentadas em silêncio num canto, assistindo ao ensaio. Não podem ler nada, nem fazer o dever de casa; têm que ficar ali ouvindo a orquestra tocar. Não é exatamente a experiência mais empolgante do mundo. Foi o que eu fiz hoje, claro, já que não tinha nenhum trombone extra para mim.

No intervalo, corri de novo até a secretaria para pegar minhas coisas, que, àquela altura, minha mãe finalmente devia ter deixado lá. Mas não: ela ainda não tinha aparecido.

— Ela deve estar presa no trânsito — falou a Sra. Denis.

— Não, acho que já sei o que aconteceu — respondi, mal-humorado.

A ideia me ocorreu enquanto eu assistia ao ensaio da orquestra.

Isabel.

Dãã! Claro! A Daisy tinha acabado de morrer. Devia ter acontecido mais alguma coisa. Talvez algo a ver com o Auggie. E a Isabel devia ter ligado para a minha mãe, que, como sempre, largou tudo o que estava fazendo para ajudar os Pullman.

Talvez ela estivesse na casa dos Pullman naquele exato momento! Aposto que a Isabel tinha ligado quando mamãe já estava a caminho da escola com meu trombone, meu trabalho de ciências e o short de educação física no banco de trás, e pronto, mamãe tinha se esquecido de mim completamente. Só podia ter sido isso! E não seria a primeira vez.

— Quer ligar para ela de novo? — perguntou a Sra. Denis, estendendo o telefone para mim.

— Não, obrigado — murmurei.

Quando voltei para a aula de música, a Katie veio me perguntar:

— Cadê o trombone? — As sobrancelhas dela estavam quase alcançando o meio da testa. — Você disse que a sua mãe estava trazendo!

— Ela ficou presa no trânsito...? — falei, em tom de desculpas. — Mas ela vai trazer quando vier me buscar hoje...? — Acho que a Katie me deixava tão nervoso quanto os professores. — Você pode me encontrar depois da aula, às cinco e meia...?

— Por que eu iria querer esperar aqui até as cinco e meia? — retrucou ela, estalando a língua de irritação, e me lançou o mesmo olhar de quando eu, sem querer, abri a chave de água do meu trombone no copo de refrigerante dela, algumas semanas antes. — Valeu mesmo, hein, Chris! Agora meu solo no concerto vai ser uma tragédia. E a culpa é toda sua!

— Não é culpa minha...? Minha mãe devia ter trazido as minhas coisas...?

— Você é tão... idiota — murmurou ela.

— Você que é — foi minha resposta brilhante.

— Você tem orelhas de abano.

E ela se afastou com os braços estendidos ao lado do corpo, as mãos fechadas em punho.

— Humpf — fiz, revirando os olhos.

E ela passou o resto da aula me lançando os olhares mais feios que você pode imaginar, lá da cadeira dela na orquestra. Se olhares matassem, Katie McAnn seria uma serial killer.

Tudo isso poderia ter sido evitado se mamãe não tivesse me abandonado hoje! Eu estava muito irritado com ela. Ah, mas Lisa ia se arrepender à noite. Eu já podia até ver: ela ia chegar à escola para me buscar, toda "Me desculpe, querido! Tive que ir até a casa dos Pullman, porque eles precisavam de ajuda com... blá-blá-blá".

E eu ia dizer: "Blá-blá-blá."

E ela: "Poxa, querido, você sabe que eles precisam da nossa ajuda às vezes."

"Blá! Blá! Blá!"

Espaço

Quando fez cinco anos, o Auggie ganhou de aniversário um capacete de astronauta. Não lembro quem deu, só sei que ele começou a usar aquele capacete o tempo todo. Em todo lugar. Todos os dias. As pessoas achavam que era porque ele queria esconder o rosto — e talvez fosse mesmo, em parte. Mas acho que era mais porque ele realmente adorava o espaço sideral. Estrelas e planetas. Buracos negros. Tudo que tivesse a ver com as missões Apollo. O Auggie começou a dizer a todo mundo que seria astronauta quando crescesse. No início, não entendi por que ele estava tão obcecado com essas coisas, mas aí, num fim de semana, nossas mães nos levaram ao planetário do Museu de História Natural — e foi aí que eu também fui abduzido. Assim começou o que chamamos de nossa "fase espacial".

O Auggie e eu já tínhamos passado por muitas fases àquela altura. Zumbis. Robôs. Dinossauros. Ninjas. *Power Rangers* (tenho vergonha de admitir). Mas, até então, nada tinha sido tão intenso quanto nossa fase espacial. Assistíamos a todos os DVDs sobre o universo que conseguíamos encontrar. Vídeos do espaço. Livros ilustrados sobre a Via Láctea. Maquetes tridimensionais do Sistema Solar. Modelos de foguetes. Passávamos horas brincando de missões no espaço sideral ou fingindo que pousávamos em Plutão. Era o planeta para o qual mais gostávamos de viajar. Plutão era o nosso Tatooine.

Ainda estávamos na fase espacial na época do meu aniversário de seis anos, então meus pais decidiram fazer uma festa no planetário. O Auggie e eu ficamos tão animados! Tinham acabado de lançar um novo filme, e ainda não tínhamos visto. Convidei a minha turma inteira do primeiro ano. Além do Zack e do Alex, claro. Convidei até a Via, mas ela não pôde ir, porque tinha outra festa de aniversário no mesmo dia.

Só que no dia do meu aniversário a Isabel ligou para mamãe dizendo que precisava levar o Auggie ao hospital. Ele tinha acordado com febre alta, as pálpebras praticamente fechadas de tão inchadas. Alguns dias antes, ele havia passado por um "pequeno" procedimento para corrigir uma cirurgia anterior, que deveria deixar as pálpebras inferiores menos caídas, e acabaram infeccionadas. Então o Auggie teve que ir ao hospital bem no dia da minha festa de seis anos.

Fiquei tão frustrado! E foi ainda pior quando mamãe me disse que a Isabel tinha pedido a ela para levar a Via à outra festa.

Mamãe concordou antes mesmo de falar comigo:

— Sim, claro, tudo que pudermos fazer para ajudar!

Mesmo que, por causa disso, ela acabasse chegando atrasada à *minha* festa de aniversário!

— Mas por que o Nate não pode levar a Via? — perguntei à minha mãe.

— Porque ele vai levar a Isabel e o Auggie ao hospital. Não é nada de mais, Chris. Vou levar a Via de táxi e depois pego o trem.

— Mas não tem mais ninguém que possa fazer isso? Por que tem que ser você?

— A Isabel não tem tempo para ficar ligando para as outras mães, Chris! Se a gente não levar a Via, ela vai ter que ir ao hospital com eles. Coitada da menina, sempre perdendo as coisas...

— Mãe! Eu não me importo com a Via! Não quero que você chegue atrasada na minha festa!

— Chris, o que você queria que eu dissesse? Eles são nossos amigos. A Isabel é minha melhor amiga, assim como o Auggie é seu melhor amigo. E, quando amigos precisam de nós, fazemos o que podemos para ajudar, certo? Não podemos ser amigos só quando é conveniente para a gente. Boas amizades valem um esforcinho a mais!

Como eu não disse nada, ela beijou minha mão.

— Prometo que não vai demorar — disse mamãe.

Mas demorou. Ela acabou se atrasando mais de uma hora.

— Sinto muito, querido... O trem A estava parado... Eu não achava táxis em lugar nenhum... Sinto muito...

Eu sabia que mamãe estava péssima, mas a situação toda me irritou demais. Lembro que até papai ficou chateado.

Então, sim, ela se atrasou, e até perdeu o filme sobre o universo.

15h50

O resto do dia acabou sendo tão ruim quanto o início. Tive que passar a aula de educação física sentado, porque esqueci o short e não tinha nenhum reserva no armário. Durante o almoço, a Katie McAnn e todas as amigas ficaram me olhando de cara feia. Quanto às outras aulas, nem lembro. A última foi de matemática. Eu sabia que teríamos uma prova importante no dia seguinte, mas não tinha estudado nada no fim de semana. Foi só quando a professora, a Sra. Medina, começou a revisar a matéria para a prova que percebi que estava bem ferrado. Eu me sentia completamente perdido no que ouvia. Sério, era como se de repente a Sra. Medina estivesse falando numa língua inventada que todo mundo na sala parecia entender, menos eu. *Blá-blá-blá quociente. Blá-blá-blá divisor.* No fim da aula, ela sugeriu que os alunos com mais dificuldade a procurassem para uma ajudinha extra. *Hum, está falando comigo!* Mas eu tinha ensaio da banda, então não podia ir.

Logo que terminou a aula, desci correndo para o auditório. Os ensaios da banda de rock da escola são às segundas e terças, à tarde, depois das aulas. Eu tinha começado na banda apenas alguns meses antes, mas já estava muito empolgado. Fazia quase um ano que eu vinha aprendendo guitarra, e meu pai, que tocava muito bem, me ensinou todos aqueles grandes *licks*. Aí, quando o "Papai Noel" me deu uma guitarra de Natal, decidi que estava pronto para fazer parte da banda da escola. Fiquei um pouco nervoso no começo, já que os três caras que já tocavam são muito bons. Mas então descobri que tinha um aluno do quarto ano, chamado John, que iria entrar junto comigo, então soube que não seria o único novato. O John também tocava guitarra. Ele usava óculos iguais aos do John Lennon.

Os outros três garotos da banda eram o Ennio, considerado um prodígio da bateria; o Harry, na guitarra principal; e o Elijah, no baixo. O Elijah também é o vocalista e meio que o líder da banda. Os três estão no sexto ano e tocam na banda desde o quarto. Ou seja, é um grupo bem fechado.

Não posso dizer que os outros ficaram muito empolgados quando o John e eu entramos. Não que eles não sejam legais, mas também não são *legais*. Não nos tratavam como se fôssemos integrantes da banda à altura deles. Obviamente, achavam que a gente não tocava tão bem quanto eles — e, para ser sincero, era verdade. Mas, ainda assim, estávamos nos esforçando de verdade para melhorar.

— Então, Sr. B. — disse o Elijah, depois de improvisarmos um pouco, cada um na sua —, estávamos pensando em tocar "Seven Nation Army" no concerto de primavera, na quarta-feira.

O Sr. Bowles é o professor orientador da banda. Ele tem cabelo grisalho, sempre preso num rabo de cavalo, e fez parte de uma famosa banda de folk-rock nos anos 1980 (da qual meu pai, por exemplo, nunca ouviu falar). O Sr. Bowles é bem legal, sempre tentando fazer os outros garotos incluírem o John e eu. Isso, claro, só deixa os três ainda mais irritados com a gente. E com o Sr. Bowles. Zombam da mania dele de às vezes falar de olhos fechados, do rabo de cavalo e do gosto musical dele.

— "Seven Nation Army"? — disse o Sr. Bowles, como se estivesse impressionado com a escolha. — É uma música ótima, Elijah.

— É do Europe também? — perguntou o John, já que algumas semanas antes tínhamos concordado, depois de muita discussão, em tocar "The Final Countdown", do Europe.

O Elijah bufou e fez uma careta.

— Cara — respondeu ele, sem olhar para o John nem para mim —, é White Stripes.

O Elijah é muito bom em falar com o cabelo louro e comprido caído na cara.

— Nunca ouvi falar dessa banda! — comentou o John, todo animado, e eu quis morrer de vergonha.

A verdade é que eu também não conhecia os White Stripes, mas sabia que era melhor fingir que conhecia — pelo menos até chegar em casa e baixar a música. O John não é muito bom na dinâmica social que rola entre os integrantes de uma banda de rock e as suas muitas sutilezas. Se quiser se encaixar, você meio que precisa se deixar levar. Mas, como eu disse, o John não tem muito jeito para essas coisas.

O Elijah riu e se virou para afinar o baixo.

O John olhou para mim por cima dos minúsculos óculos redondos e fez uma cara de "Sou só eu, ou eles estão loucos?".

Como resposta, dei de ombros.

O John e eu tínhamos nos tornado nosso próprio grupinho dentro da banda. Ficávamos juntos nos intervalos e ríamos das nossas piadas, principalmente porque os outros três ficavam juntos e riam das próprias piadas. Toda quinta-feira eu ia à casa do John depois da escola, para ensaiarmos ou ouvirmos algumas músicas de rock clássico. Era uma tentativa de mostrarmos que sabíamos tanto de rock quanto os outros. E aí dávamos sugestões de músicas que poderíamos tocar. Até então, tínhamos sugerido "Yellow Submarine" e "Eye of the Tiger". Mas o Elijah, o Harry e o Ennio vetaram as duas.

Até que foi bom, porque eu gosto muito de "The Final Countdown". Foi ideia do próprio Sr. Bowles. *It's the final countdown!*

— Não sei, pessoal — disse o Sr. Bowles. — Acho que não dá tempo de aprendermos uma música nova até quarta. Talvez seja melhor a gente ficar com "The Final Countdown" mesmo, não?

Ele tocou as notas de introdução no teclado, e John começou a balançar a cabeça ao ritmo.

Então o Elijah começou a tocar no baixo um *riff* incrível, que, como viemos a descobrir, era a introdução de "Seven Nation Army". Pegando a deixa, os outros dois começaram a tocar também. Ficou óbvio que eles já tinham ensaiado a música muitas vezes. E tenho que admitir: estavam mandando muito bem.

Em algum momento do segundo refrão, o Sr. Bowles ergueu a mão para que eles parassem.

— Tudo bem, rapazes, ficou incrível. Arrasou no baixo, Elijah. Mas todos têm que saber tocar a música para o concerto de primavera, certo? Esses dois carinhas aqui precisam ter uma chance de aprender a música também. — Ele apontou para mim e para o John.

— Mas são só acordes básicos — argumentou o Elijah. — Tipo dó, sol! Si. Ré. Vocês sabem o ré, né? — Ele olhou para nós como se fôssemos alienígenas. — É sério que não conseguem fazer isso?

— Eu consigo — falei depressa, posicionando os dedos nos acordes.

— Detesto o si — disse John.

— É tão fácil! — comentou o Elijah.

— Mas e "The Final Countdown"? — choramingou o John. — Eu passei semanas treinando!

Ele começou a tocar a mesma introdução que o Sr. B. tinha tocado, mas, para ser sincero, não ficou tão bom.

— Cara, isso foi incrível! — elogiou o Sr. B., erguendo a mão para um *high-five.*

Notei que o Elijah trocou um olhar com Harry, que disfarçou como se estivesse segurando o riso.

— Pessoal, temos que ser justos — disse o Sr. B. para o Elijah.

— A questão é a seguinte — respondeu o Elijah. — Só podemos tocar uma música no concerto de primavera, e queremos que seja "Seven Nation Army". A maioria vence.

— Mas não foi isso o que *combinamos*! — gritou o John. — Não é justo, porque vocês concordaram em tocar "The Final Countdown", e o Chris e eu levamos um tempão para aprender...

Preciso admitir que o John estava sendo corajoso em discutir assim com um garoto do sexto ano.

— Foi mal, cara — falou o Elijah, mexendo distraidamente no amplificador. Mas ele não parecia nem um pouco arrependido.

— Ok, vamos entrar num consenso, pessoal — interveio o Sr. B., de olhos fechados.

— Sr. B.? — chamou o Ennio, levantando a mão, como se estivesse em aula. — A questão é que queremos tocar uma música que a gente realmente goste.

— É! — concordou o Elijah.

— "The Final Countdown" não representa a nossa musicalidade — concluiu o Ennio.

— Mas não é justo! — insistiu o John. — Essa é a banda de rock da *escola*. Não é a banda *de vocês*! Vocês não podem fazer isso!

— Cara, vocês podem tocar o que quiserem ano que vem — respondeu o Elijah, que parecia querer arrancar os óculos do John da cara dele. — Podem tocar "Atirei o pau no gato" que eu não estou nem aí.

Os outros riram.

O Sr. Bowles finalmente abriu os olhos.

— Ok, pessoal, já chega — falou, erguendo as mãos. — Vamos fazer o seguinte: vamos ver se vocês dois conseguem aprender "Seven Nation Army" entre hoje e amanhã — disse, apontando para mim e para o John. — Vamos ensaiar um pouco hoje, mas também vamos dar uma finalizada em "The Final Countdown". Aí amanhã a gente vê em qual música vocês estão se saindo melhor. Mas sou eu que vou decidir o que vamos tocar, ok? Combinado?

O John assentiu, ávido, mas o Elijah revirou os olhos.

— Então vamos começar com "The Final Countdown" — continuou o Sr. Bowles, e bateu palmas duas vezes. — Do começo. Vamos lá, pessoal. "The Final Countdown"! Do começo. Ennio, acorda! Harry! Elijah, vamos lá, cara! No quatro. Um. Dois. Três...

Tocamos a música. Mesmo com o Elijah e os outros sem a menor vontade, eles arrebentaram. Na verdade, éramos incríveis juntos, pensei.

— Foi demais! — disse o John quando a música terminou.

E levantou a mão para mim, para um *high-five*, o que fiz um pouco relutante.

— Tanto faz — disse o Elijah, balançando a cabeça para tirar o cabelo do rosto.

O restante do ensaio foi para pegarmos "Seven Nation Army".

Mas o John errava toda hora e pedia para voltar desde o início. Não estava nada bom.

A mãe do John, que tinha acabado de entrar na sala da banda, tentava bater palmas enquanto segurava o guarda-chuva molhado.

— Vocês estão ótimos! — comentou ela.

O Sr. B. olhou para o relógio.

— Nossa, já são cinco e meia? Caramba! Meninos, eu tenho um compromisso hoje. Vamos guardar as coisas. Rápido. Tudo no armário.

Comecei a colocar minha guitarra no estojo.

— Vamos lá, pessoal! — disse o Sr. B., enrolando o fio dos microfones.

Nós começamos a guardar às pressas os instrumentos.

— Até amanhã, Sr. B. — disse o John, que foi o primeiro a ficar pronto para ir embora. — Tchau, Elijah. Tchau, Ennio. Tchau, Harry! — Ele acenou para os outros. — Vejo vocês amanhã.

Vi os três se entreolharem, mas acenaram de volta para o John.

— Tchau, Chris! — completou o John, bem alto, já na porta.

— Tchau — murmurei.

Eu gostava dele, de verdade. Quando estávamos sozinhos, ele era incrível. Mas às vezes era completamente sem noção. Era como ser amigo do Bob Esponja.

Depois que o John foi embora com a mãe, o Elijah foi até o Sr. Bowles, que estava guardando o microfone.

— Sr. B. — disse ele, todo educado —, por favor, podemos tocar "Seven Nation Army" na quarta à noite?

Nesse momento a mãe do Ennio chegou para buscar os três.

— Amanhã a gente vê isso — respondeu o Sr. Bowles, distraído, enquanto guardava o restante do equipamento no armário.

— Até parece. Você vai escolher "The Final Countdown" — disse o Elijah, e saiu.

— Tchau, pessoal — falei para o Harry e o Ennio, que estavam saindo atrás do Elijah.

— Tchau, cara — responderam os dois.

O Sr. B. trancou o armário e só então notou que eu ainda estava ali.

— Cadê a sua mãe?

— Acho que ela está atrasada.

— Você não tem celular?

Peguei meu celular na mochila e o liguei.

Não havia mensagens de texto nem chamadas perdidas da mamãe.

— Ligue para ela! Tenho que ir, rapaz.

17h48

Quando eu estava prestes a ligar, meu pai bateu na porta da sala. Fiquei muito surpreso, porque ele nunca tinha ido me buscar numa segunda-feira.

— Pai!

Ele sorriu e entrou.

— Desculpe, eu me atrasei — falou papai, sacudindo o guarda-chuva.

— Este é o Sr. Bowles — apresentei.

— É um prazer conhecê-lo! — disse o Sr. B., depressa, já na porta. — Sinto muito, mas não posso ficar para conversar. Seu filho é um ótimo aluno!

Ele saiu. Um segundo depois, gritou do corredor:

— Não esquece de trancar a porta depois que sair, Chris!

— Pode deixar! — gritei de volta. Então me virei para papai. — O que você está fazendo aqui?

— Sua mãe me pediu para vir buscar você — respondeu ele, pegando minha mochila.

— Já sei: ela está na casa do Auggie, não está? — falei, meio irritado, vestindo o casaco.

Papai ficou surpreso.

— Não — disse ele. — Está tudo bem, Chris. Coloque o capuz... está chovendo muito.

— Então cadê ela? — perguntei, me dirigindo à porta com papai. — Por que ela não trouxe as minhas coisas?

Ele pôs a mão no meu ombro e continuamos andando.

— Não quero que você fique preocupado, mas... Sua mãe sofreu um pequeno acidente de carro hoje.

Parei.

— O quê?

— Ela está bem. Não precisa se preocupar. Juro. — Papai fez um gesto para eu continuar andando.

— Onde ela está?

— Ainda no hospital.

— Hospital? — gritei, e parei mais uma vez.

— Chris, ela está bem, juro — respondeu papai, me puxando pelo cotovelo. — Mas quebrou a perna. Está com um gesso enorme.

— Sério?

— Sim. — Ele segurou a porta para mim enquanto abria o guarda-chuva. — Coloque o capuz, Chris.

Cobri a cabeça e cruzamos o estacionamento correndo. A chuva estava muito forte mesmo.

— Ela foi atropelada?

— Não, ela estava dirigindo. Ao que parece, a chuva causou uma pequena inundação na via expressa e, por isso, um caminhão de obra caiu numa vala. Sua mãe desviou para não bater no caminhão, mas acabou sendo atingida por um carro que vinha pela pista contrária. A mulher que dirigia o outro carro também não sofreu nada grave. Sua mãe está bem. A perna dela vai ficar boa. Todo mundo está bem, graças a Deus.

Ele parou perto de um carro vermelho que eu nunca tinha visto.

— É novo? — perguntei, confuso.

— É alugado — respondeu papai, depressa. — O carro da sua mãe sofreu perda total. Vamos, entre.

Eu me sentei no banco traseiro. A essa altura, meus tênis estavam encharcados.

— E o seu carro?

— Peguei o trem e fui direto para o hospital — respondeu ele.

— A gente devia processar o motorista do caminhão — falei, colocando o cinto de segurança.

— Foi um acidente — murmurou ele, e partiu com o carro.

— Quando foi que aconteceu? — perguntei.

— De manhã.

— De manhã que horas?

— Não sei. Umas nove, talvez. Eu tinha acabado de chegar ao trabalho quando me ligaram do hospital.

— Espera aí, a pessoa que ligou sabia que você e a mamãe estão se divorciando?

Ele me olhou pelo retrovisor.

— Chris, sua mãe e eu vamos sempre poder contar um com o outro. Você sabe disso.

— Ah... — falei, dando de ombros.

Olhei pela janela. Era aquela hora do dia em que o sol já se pôs, mas as lâmpadas dos postes ainda não se acenderam. Além de escuras, as ruas estavam brilhando, por causa da chuva. Ao longo do caminho, víamos as poças refletindo as luzes brancas e vermelhas dos carros.

Imaginei mamãe dirigindo na chuva aquela manhã. Será que o acidente tinha acontecido antes ou depois de ela buscar minhas coisas para levar à escola?

— Por que você achou que ela estava na casa do Auggie? — perguntou papai.

— Não sei — respondi, ainda olhando pela janela. — A Daisy morreu. Achei que...

— A Daisy morreu? Nossa, eu não sabia. Quando foi isso?

— Ontem de noite. Eles botaram ela para dormir.

— Ela estava doente?

— Pai, eu não sei os detalhes!

— Tudo bem, não precisa se irritar.

— Eu só... eu queria que você tivesse me contado sobre o acidente mais cedo! Alguém devia ter me avisado.

Papai me olhou pelo retrovisor de novo.

— Não tinha por que deixar você preocupado, Chris. Estava tudo sob controle. Além do mais, você não poderia fazer nada.

— Passei a manhã inteira esperando a mamãe voltar com as minhas coisas! — falei, cruzando os braços.

— Foi um dia atípico para todos nós, Chris. Passei o dia cuidando de formulários do seguro, aluguel de carros, indo e voltando do hospital...

— Eu poderia ter ido ao hospital com você.

— Bem, então você está com sorte — disse ele, batucando no volante —, porque é para lá que estamos indo agora mesmo.

— Espera aí, estamos indo ao hospital?

— Sua mãe acabou de ter alta, então vamos buscá-la. — Ele me olhou pelo retrovisor de novo, mas desviei o olhar. — Não é ótimo?

— Aham.

Seguimos em silêncio por alguns segundos. Caía um dilúvio lá fora. Papai acelerou os limpadores de para-brisa, e eu apoiei a cabeça na janela.

— O dia hoje foi uma droga — murmurei.

Soprei no vidro da janela e desenhei uma carinha triste com o dedo.

— Você está bem, Chris?

— Sim. Odeio hospitais, só isso.

A visita ao hospital

A primeira e única vez que eu fui a um hospital antes de ir buscar mamãe foi para visitar o Auggie. Tínhamos mais ou menos seis anos. O Auggie já tinha passado por, tipo, um milhão de cirurgias, mas aquela foi a primeira vez que mamãe me levou para visitá-lo, porque, segundo ela, eu já estava grandinho.

Dessa vez, a cirurgia tinha sido para remover o acesso da traqueostomia, um negócio de plástico que ficava enfiado no pescoço, debaixo do pomo de adão. Foi o que os médicos puseram dentro do Auggie logo que ele nasceu, para que ele conseguisse respirar. E agora iriam tirá-lo, porque tinham certeza de que ele já conseguiria respirar sozinho.

O Auggie estava muito animado com essa cirurgia. Ele odiava o buraco da traqueostomia. E, quando digo que odiava, quero dizer que *odiaaaaaaaava* mesmo. Era muito evidente, porque ele não podia cobri-lo. E não podia entrar na piscina. Para completar, às vezes o tubo interno entupia, sem motivo algum, e o Auggie começava a tossir, como se estivesse engasgando, como se não conseguisse respirar. Então a Isabel ou o Nate tinha que enfiar um tubinho pelo buraco, para aspirar o tubo interno e fazer com que o Auggie voltasse a respirar. Vi isso acontecer algumas vezes, e era muito assustador.

Lembro que eu estava feliz em ir visitar o Auggie depois da cirurgia. O hospital ficava no centro, e mamãe me surpreendeu parando na loja FAO Schwarz para que eu pudesse comprar um bom presente para o meu amigo (um conjunto de Lego do *Star Wars*) e uma lembrancinha para mim (um Ewok de pelúcia). Depois disso, mamãe e eu fomos almoçar no meu restaurante preferido, que faz os melhores cachorros-quentes e o melhor milk-shake de chocolate do planeta.

E aí, depois do almoço, fomos ao hospital.

— Chris, no hospital vai ter outras crianças passando por cirurgias faciais — disse mamãe, baixinho, ao cruzarmos as portas do hospital. — O Hudson, por exemplo. Aquele amigo do Auggie. Não se esqueça de não ficar encarando, ok?

— Eu nunca faria isso! — respondi. — Odeio quando as crianças encaram o Auggie, mamãe.

Lembro que no corredor, a caminho do quarto do Auggie, vi balões por toda parte, além de pôsteres de princesas da Disney e de super-heróis colados nas paredes. Achei muito legal. Parecia uma grande festa de aniversário.

Espiei dentro de alguns quartos quando passamos, e só então entendi o que mamãe tinha me dito. Aquelas crianças eram como o Auggie. Não que se parecessem com ele, embora algumas de fato fossem parecidas, mas todas tinham problemas faciais. Algumas estavam com ataduras no rosto. Uma garota, que espiei bem rápido, tinha um tumor enorme na bochecha, do tamanho de um limão.

Apertei a mão da mamãe e me lembrei de não encarar nenhum dos pacientes, então fiquei olhando para os meus pés enquanto seguíamos pelo corredor, agarrado ao meu Ewok de pelúcia.

Quando chegamos ao quarto do Auggie, fiquei feliz em ver que a Isabel e a Via já estavam lá. As duas foram até a porta quando nos viram e nos cumprimentaram com beijos.

Elas nos levaram até o Auggie, que estava na cama junto à janela. Ao entrarmos, tive a impressão de que a Isabel estava tentando me impedir de olhar para o garoto deitado no primeiro leito. Então dei uma espiada rápida para trás depois que passamos. O menino, que devia ter apenas uns quatro anos, estava olhando para mim. Debaixo do nariz, onde deveria estar a parte de cima da boca, havia um enorme buraco vermelho, e, dentro do buraco, algo que parecia um pedaço de carne crua. Parecia que havia dentes presos na carne e pedaços de pele pendendo na borda do buraco. Desviei o olhar o mais rápido que pude.

O Auggie estava dormindo. Como ele parecia pequeno naquela cama grande do hospital! O pescoço estava enfaixado com gaze branca suja de sangue. Tinha alguns tubos saindo do braço dele, um entrando no nariz. Ele estava com a boca bem aberta, a língua para fora, sobre o queixo, meio amarelada e muito seca. Eu já tinha visto o Auggie dormindo antes, mas nunca daquele jeito.

Ouvi minha mãe e a Isabel falando em voz baixa sobre como tinha sido a cirurgia, o mesmo tom que usavam quando não queriam que eu ou o Auggie ouvíssemos alguma coisa. Elas mencionaram "complicações" e comentaram que tinha sido "tenso" por um tempo. Mamãe abraçou a Isabel. Parei de prestar atenção.

Olhei para o Auggie, torcendo para ele fechar a boca enquanto dormia.

A Via então se aproximou. Ela tinha uns dez anos na época.

— Foi legal você ter vindo visitar o Auggie — disse ela.

Fiz que sim.

— Ele vai morrer? — sussurrei.

— Não — sussurrou ela em resposta.

— Por que ele está sangrando? — perguntei.

— É onde operaram. Vai sarar.

Fiz que sim de novo.

— Por que a boca dele está aberta?

— Ele não consegue fechar.

— Qual é o problema daquele menino na outra cama?

— Ele é de Bangladesh. Tem lábio leporino e palato fendido. Ele veio para cá para ser operado. Não fala nada de inglês.

Pensei no grande buraco vermelho e vazio no rosto do garoto. Na pele cortada.

— Você está bem, Chris? — perguntou a Via, me cutucando com delicadeza. — Lisa! Lisa, acho que o Chris não está bem...

Foi então que o cachorro-quente e o milk-shake de chocolate meio que explodiram para fora de mim. Vomitei em mim mesmo, na caixa gigante de Lego que tinha levado para o Auggie e no chão, diante da cama.

— Ah, meu Deus! — gritou mamãe, e ficou olhando em volta à procura de toalhas de papel. — Ah, querido!

A Isabel encontrou uma toalha e começou a me limpar. Enquanto isso, minha mãe limpava o chão freneticamente com um jornal.

— Não, Lisa! Não se preocupe com isso — disse a Isabel. — Via, querida, vá chamar uma enfermeira e diga que precisamos de uma limpeza aqui. — Ela falou isso enquanto tirava pedaços de cachorro-quente do meu queixo.

Via, que parecia prestes a vomitar também, se virou calmamente e foi em direção à porta. Minutos depois, apareceram duas enfermeiras com baldes e esfregões.

— Podemos ir para casa, mamãe? — lembro-me de ter dito, o gosto do vômito ainda fresco na boca.

— Sim, querido — respondeu ela, assumindo o lugar da Isabel e me limpando.

— Sinto muito, Lisa — falou a Isabel, molhando outra toalha na pia e começando a passá-la no meu rosto.

A essa altura eu estava suando muito, e me virei para sair antes mesmo de terminarem de me limpar. Então, sem querer, vi novamente o garotinho na cama, que ainda olhava para mim. Comecei a chorar quando notei o grande buraco vermelho acima da boca do menino.

Nesse momento, mamãe me arrastou para fora do quarto, ao mesmo tempo me abraçando. Quando alcançamos o corredor, ela meio que me carregou até o hall dos elevadores. Eu estava com o rosto enfiado no casaco dela, chorando histericamente.

A Isabel e a Via foram atrás de nós.

— Eu sinto muito... — disse a Isabel.

— Sinto muito, Isabel — falou mamãe. As duas meio que ficavam balbuciando desculpas uma para a outra ao mesmo tempo. — Por favor, diga ao Auggie que lamentamos não poder ficar.

— Claro — falou a Isabel, que então se ajoelhou na minha frente e começou a secar minhas lágrimas. — Você está bem, querido? Eu lamento por isso. Sei que é muita coisa para processar...

Balancei a cabeça.

— Não é o Auggie — tentei dizer.

De repente os olhos dela ficaram marejados, e ela sussurrou:

— Eu sei. — Então pôs as mãos em concha nas minhas bochechas, como se estivesse aninhando meu rosto. — É muita sorte do Auggie ter um amigo como você.

O elevador chegou. A Isabel nos abraçou e nós entramos.

A Via acenou para mim enquanto as portas se fechavam. Embora eu tivesse apenas seis anos na época, me lembro de sentir pena dela por não poder ir embora também.

Assim que saímos do prédio, mamãe me fez sentar num banco e me abraçou por um bom tempo. Não falou nada, ficou só me beijando várias vezes no topo da cabeça.

Quando enfim me acalmei, estendi o Ewok para ela.

— Você pode voltar e dar isso para ele?

— Ah, querido... É muito gentil da sua parte, mas a Isabel pode limpar a caixa do Lego. Vai ficar como nova, não se preocupe.

— Não. É para o outro menino — expliquei.

Ela me olhou por um segundo, como se não soubesse o que dizer.

— A Via disse que ele não fala nem uma palavra em inglês. Deve ser muito assustador para ele, ficar no hospital.

Ela assentiu devagar.

— Sim — murmurou. — Deve ser.

Ela fechou os olhos e me abraçou de novo. Então me levou até um segurança do hospital, que ficou comigo até ela pegar o elevador e, uns cinco minutos depois, descer outra vez.

— Ele gostou? — perguntei.

— Ah, querido — disse mamãe, baixinho, afastando do meu olho uma mecha de cabelo —, você fez o dia dele.

19h04

No quarto do hospital, encontramos mamãe sentada numa cadeira de rodas, vendo TV. O gesso era mesmo enorme, começando na coxa e descendo até o tornozelo.

— Aí está o meu garoto! — disse ela, alegre, assim que me viu.

Mamãe estendeu os braços para mim e fui abraçá-la. Eu estava aliviado por ver que papai tinha dito a verdade: exceto pelo gesso e alguns arranhões no rosto, ela parecia bem. Estava vestida e pronta para ir embora.

— Como está se sentindo, Lisa? — perguntou papai, se abaixando para dar um beijo no rosto dela.

— Muito melhor — respondeu mamãe, desligando a TV e sorrindo para a gente. — Prontinha para ir para casa.

— Trouxemos isso para você — falei, entregando a ela o buquê de flores que tínhamos comprado na lojinha do hospital.

— Obrigada, querido! — disse ela, me dando um beijo. — São lindas!

Olhei para o gesso e perguntei:

— Está doendo?

— Não muito — respondeu ela, depressa.

— A mamãe é muito corajosa — disse papai.

— Eu sou é muito sortuda, isso sim — retrucou mamãe, batendo na lateral da cabeça.

— Somos todos muito sortudos — acrescentou papai, baixinho.

Ele estendeu o braço e apertou a mão da mamãe, com carinho.

Por alguns segundos, ninguém disse nada.

— Mas então, você precisa assinar algum documento da alta ou qualquer coisa assim? — perguntou papai.

— Está tudo resolvido — respondeu ela. — Estou pronta para ir.

Papai se posicionou atrás da cadeira de rodas.

— Espera! Posso empurrar? — pedi, já me colocando atrás da cadeira também.

— Ok, mas só depois que a gente sair do quarto — disse papai. — É um pouco difícil manobrar pela porta, por causa do gesso.

— Como foi seu dia, Chris? — perguntou mamãe, enquanto a empurrávamos pelo corredor.

Pensei em como meu dia tinha sido horrível. Todo ele, do início ao fim. Ciências, música, matemática, banda. O pior dia da minha vida.

— Normal — respondi.

— Como foi o ensaio? O Elijah tem sido mais legal? — perguntou ela.

— Tranquilo. — Dei de ombros.

— Desculpe por não ter levado as suas coisas — disse ela, acariciando meu braço. — Você deve ter ficado preocupado, imaginando o que tinha acontecido comigo!

— Achei que você tivesse ido a algum lugar — respondi.

— Ele achou que você estava na casa da Isabel — disse papai, rindo.

— Não pensei nada! — falei.

Nesse momento, mamãe estava se despedindo das enfermeiras, que acenavam para ela de volta, então não ouviu o que papai tinha dito.

— Você não me perguntou se a sua mãe tinha ido...? — começou ele, confuso.

— Enfim... — interrompi, me virando para ela. — O ensaio da banda foi bom. Vamos tocar "Seven Nation Army" no concerto de primavera, na quarta-feira. Você ainda vai poder ir?

— Claro que vou! — respondeu ela. — Mas vocês não iam tocar "The Final Countdown"?

— "Seven Nation Army" é uma ótima música — disse papai, e começou a cantarolar o *riff*, tocando uma guitarra imaginária, enquanto esperávamos o elevador.

Mamãe sorriu para ele.

— Eu me lembro de você tocando no Parlor.

— O que é o Parlor? — perguntei.

— Um pub no fim da rua em que ficava o nosso dormitório na faculdade — respondeu mamãe.

— Antes de você nascer, amiguinho — acrescentou papai.

As portas do elevador se abriram e nós entramos.

— Estou morrendo de fome — falei.

— Vocês ainda não jantaram? — perguntou mamãe, olhando para papai.

— Viemos direto da escola — explicou ele. — Quando é que íamos parar para jantar?

— Podemos passar num McDonald's a caminho de casa? — pedi.

— Por mim, tudo bem — concordou papai.

Chegamos ao térreo, e as portas do elevador se abriram.

— Posso empurrar a cadeira agora? — pedi.

— Pode — respondeu ele. — Vocês me esperam ali, ok? — Ele apontou para a saída mais distante, à esquerda. — Vou pegar o carro.

Ele saiu correndo até o estacionamento. Empurrei a cadeira de mamãe até onde ele havia indicado para esperarmos.

— Não acredito que ainda está chovendo — comentou mamãe, olhando pela janela.

— Aposto que dá para fazer uma manobra radical com essa cadeira! — falei.

— Ei, ei! Não! — gritou ela, apertando os braços da cadeira enquanto eu a inclinava para trás, erguendo-a em duas rodas. — Chris! Já tive emoção suficiente por hoje!

Baixei a cadeira.

— Desculpa, mãe. — Dei um tapinha na cabeça dela.

Mamãe esfregou os olhos com as palmas das mãos.

— Desculpa. É que foi um dia longo.

— Sabia que um dia em Plutão dura 153,3 horas? — perguntei.

— Não, não sabia.

Ficamos alguns minutos em silêncio.

— A propósito, você ligou para o Auggie? — perguntou ela, do nada.

— Mãe... — resmunguei, balançando a cabeça.

— Que foi? — questionou ela, tentando se virar na cadeira para olhar para mim. — Não estou entendendo, Chris. Você e o Auggie brigaram?

— Não! É que tem muita coisa acontecendo, só isso.

— Chris... — Ela suspirou, mas parecia cansada demais para continuar o assunto.

Comecei a murmurar "Seven Nation Army".

Minutos depois, o carro vermelho parou em frente à saída do hospital. Papai saiu e foi correndo até nós, segurando um guarda-chuva aberto. Empurrei mamãe para fora. Papai entregou o guarda-chuva a ela e a empurrou pela rampa de acesso de cadeirantes até a porta do carona. O vento tinha ficado mais forte, fazendo o guarda-chuva virar do avesso após uma lufada violenta.

— Chris, entre! — ordenou papai.

Ele começou a levantar mamãe, pegando-a por baixo dos braços, para colocá-la no banco da frente.

— Até que é legal ser paparicada — brincou mamãe.

Mas notei que ela estava sentindo dor.

— Vale um fêmur fraturado? — disse papai, entrando na brincadeira. Ele já estava sem fôlego.

— O que é um fêmur? — perguntei, me instalando no banco traseiro.

— O osso da coxa — respondeu papai.

A essa altura ele estava encharcado, e agora tentava ajudar mamãe a prender o cinto de segurança.

— Parece nome de bicho — comentei. — Leões, tigres, fêmures.

Mamãe tentou rir da minha piada, mas não parecia estar se sentindo bem.

Papai correu até a traseira do carro e passou alguns minutos tentando descobrir como dobrar a cadeira de rodas para guardá-la na mala. Então foi até o banco do motorista, se sentou e bateu a porta. Ficamos todos em silêncio por um momento, o vento e a chuva uivando lá fora. Então papai deu a partida. Estávamos os três ensopados.

Após alguns minutos, perguntei:

— Mãe, quando você sofreu o acidente, hoje de manhã, tinha acabado de me deixar na escola? Ou estava voltando para deixar as minhas coisas?

Ela levou um segundo para responder:

— Na verdade, é tudo meio que um borrão, querido. — Ela esticou o braço para trás, para segurar minha mão. Apertei a dela com força.

— Chris, sua mãe está um pouco cansada — disse papai. — Acho que ela não quer falar sobre isso agora.

— Eu só queria saber.

— Chris, não é o momento. — Papai me lançou um olhar severo pelo retrovisor. — A única coisa que importa é que deu tudo certo e que a mamãe está sã e salva. Temos muito pelo que agradecer. O dia poderia ter acabado muito pior.

Levei um segundo para entender o que ele queria dizer. E, quando entendi, senti um arrepio na espinha.

FaceChat

No primeiro ano depois que nos mudamos para Bridgeport, nossos pais fizeram de tudo para que o Auggie e eu continuássemos nos encontrando, ao menos algumas vezes por mês — na nossa casa ou na dele. Dormi algumas noites na casa do Auggie, e ele tentou dormir na minha uma vez, mas não deu muito certo. O problema é que o percurso de carro entre Bridgeport e North River Heights leva muito tempo, então só nos víamos uma vez a cada dois meses, mais ou menos. Começamos a nos falar muito pelo FaceChat nessa época. Tipo, ao longo do terceiro ano, o Auggie e eu nos víamos pelo FaceChat praticamente todo dia. Era uma boa forma de acompanhar o crescimento das nossas tranças de Padawan, que tínhamos combinado de fazer pouco antes de eu me mudar. Às vezes nem falávamos nada, só deixávamos a tela ligada enquanto víamos juntos o mesmo programa de TV ou montávamos o mesmo conjunto de Lego. Às vezes, lançávamos charadas um para o outro. Por exemplo: o que é que tem pé, mas não tem perna? Ou o que é que um homem pobre tem, um homem rico deseja e você morreria se comesse? Esse tipo de coisa era capaz de nos distrair por horas a fio.

Então, no quarto ano, passamos a nos falar menos pelo FaceChat. Não foi proposital nem nada, só comecei a ter mais coisas para fazer na escola. Além dos trabalhos e deveres de casa, havia também muitas atividades extracurriculares. Futebol algumas vezes na semana; tênis; robótica no segundo semestre. Eu tinha a sensação de que toda hora perdia as chamadas do Auggie no FaceChat, então decidimos marcar de nos falarmos nas quartas-feiras e nos sábados, antes do jantar.

Deu certo, embora, no fim, tenham restado apenas as noites de quarta-feira, porque eu ficava muito atarefado aos sábados. Foi em algum momento no fim do quarto ano que contei ao Auggie que precisei cortar minha trança de Padawan. Ele não disse nada, mas acho que ficou magoado.

Então este ano ele passou a ir à escola também.

Eu não conseguia imaginar o Auggie frequentando uma escola, como seria a experiência para ele. Quer dizer, se já é bem difícil ser o aluno novo, imagina ser o aluno novo tendo o rosto do Auggie! Aquilo era loucura. E ele não estava só começando na escola, estava começando a escola no *meio* do ensino fundamental! Loucura! Temos que reconhecer a coragem do Auggie — não deve ter sido fácil.

A única vez que nos falamos pelo FaceChat em setembro foi alguns dias após o início das aulas, mas o Auggie não parecia muito a fim de conversar. Notei que ele também tinha cortado a trança de Padawan, mas não comentei nada. Imaginei que tivesse sido pelo mesmo motivo que cortei a minha. Sabe como é: alerta nerd.

Eu estava curioso para ir à festa do Auggie no boliche, algumas semanas antes do Halloween. Conheci os novos amigos dele, que achei bem legais. Tinha aquele garoto chamado Jack Will, que era muito engraçado. Mas acho que depois aconteceu alguma coisa entre os dois, porque algumas semanas depois, quando nos falamos pelo FaceChat, o Auggie me disse que eles não eram mais amigos.

A última vez que falei com o Auggie pelo FaceChat foi logo antes de terminarem o recesso de inverno. Eu estava em casa com os meus amigos Jake e Tyler, *Age of War II* no meu laptop, quando a chamada do Auggie apareceu na tela.

— Pessoal — falei, virando a tela para mim —, tenho que atender.

— Podemos jogar no Xbox? — pediu Jake.

— Claro — falei, apontando para os controles extras.

Então meio que virei de costas para eles, porque não queria que vissem o rosto do Auggie. Cliquei em "aceitar chamada", e, alguns segundos depois, o Auggie apareceu na tela.

— Oi, Chris — disse ele.

— E aí, Auggie?

— Faz um tempão que a gente não conversa.

— Pois é.

Então ele começou a falar sobre outra coisa. Alguma espécie de guerra na escola dele, talvez? Ou sobre o Jack Will? Eu não estava acompanhando o que ele dizia, completamente distraído pelo Jake e o Tyler, que tinham começado a cutucar um ao outro, de boca aberta, meio rindo, no momento em que o Auggie aparecera na tela.

Eu sabia que eles tinham visto o rosto do Auggie. Fui para o outro lado do quarto com o laptop.

— Aham — murmurei pelo FaceChat, tentando ouvir as coisas que o Jake e o Tyler estavam sussurrando entre si.

Mas o que ouvi foram fragmentos: "Você viu aquilo?", "Era uma máscara?", "... um incêndio?".

— Tem alguém aí com você? — perguntou o Auggie.

Acho que ele deve ter notado que eu não estava prestando muita atenção nele.

Eu me virei para os meus amigos e falei:

— Ei, pessoal! Shhh!

Os dois caíram na gargalhada. Era óbvio que estavam tentando olhar melhor para a tela do meu laptop.

— São só alguns amigos — murmurei depressa, indo para outro canto do quarto.

— Oi, amigo do Chris! — disse o Jake, me seguindo.

— Podemos conhecer o seu amigo? — perguntou o Tyler, bem alto, para que o Auggie ouvisse.

— Não! — respondi.

— Tudo bem! — disse o Auggie, na tela.

O Jake e o Tyler imediatamente correram cada um para um lado, de modo que nós três ficamos encarando a tela e vendo o rosto do Auggie.

— Oi! — disse o Auggie.

Eu sabia que ele estava sorrindo, mas, às vezes, as pessoas que não o conheciam tinham dificuldade de reconhecer o sorriso dele.

— Oi — responderam o Jake e o Tyler, baixinho.

Notei que eles não estavam mais rindo.

— Então, estes são os meus amigos Jake e Tyler — falei para o Auggie, apontando para eles com o polegar. — E esse é o Auggie. Do meu antigo bairro.

— Oi — repetiu o Auggie, acenando.

— Oi — responderam o Jake e o Tyler, sem olhar diretamente para ele.

— Então… Bom, e aí? — perguntou o Auggie, meio constrangido. — O que vocês estão fazendo?

— Estávamos justamente ligando o Xbox — respondi.

— Ah, legal! — disse o Auggie. — Que jogo?

— *House of Asterion*.

— Maneiro. Em que nível vocês estão?

— Hum, não lembro — falei, coçando a cabeça. — Segundo labirinto, eu acho.

— Ah, esse é difícil — respondeu o Auggie. — Eu quase desbloqueei o Tártaro.

— Maneiro.

Pelo canto do olho, notei que o Jake estava cutucando o Tyler pelas minhas costas.

— É, bem — falei —, acho que vamos começar a jogar agora.

— Ah! Claro — disse o Auggie. — Boa sorte com o segundo labirinto!

— Ok. Tchau. Espero que a coisa da guerra termine bem.

— Valeu. Prazer em conhecer vocês, pessoal — acrescentou o Auggie, educadamente.

— Tchau, Auggie! — disse o Jake, com um sorriso forçado.

O Tyler começou a rir, então dei uma cotovelada nele, fora da tela.

— Tchau — respondeu o Auggie, mas vi que ele tinha notado os outros rindo. O Auggie sempre percebia coisas assim, embora fingisse que não.

Desliguei. Na mesma hora, o Jake e o Tyler começaram a gargalhar.

— O que foi? — perguntei a eles, irritado.

— Ah, cara! — falou o Jake. — Qual o problema desse garoto?

— Nunca vi nada tão feio na vida — disse o Tyler.

— Ei! — exclamei, na defensiva. — Qual é?!

— A casa dele pegou fogo? — perguntou o Jake.

— Não. Ele nasceu assim — expliquei. — Ele não tem culpa de ter esse rosto. É uma doença.

— Espera aí: é contagiosa? — perguntou o Tyler, fingindo medo.

— Fala sério, cara — respondi, balançando a cabeça.

— E você é amigo dele? — perguntou o Tyler, olhando para mim como se eu fosse um marciano e forçando um sorriso. — Você só pode estar brincando!

— Qual o problema? — Olhei para ele muito sério.

Ele arregalou os olhos e deu de ombros.

— Nada. Só estava comentando.

Eu o vi trocando olhares com o Jake, que repuxou os lábios em desprezo. Houve um silêncio constrangedor.

— Vamos jogar ou não? — perguntei, depois de alguns segundos. Peguei um dos controles.

Começamos a jogar, mas não foi muito bom. Eu estava de mau humor, e eles continuaram agindo como idiotas. Foi irritante.

Depois que eles foram embora, comecei a pensar no Zack e no Alex, que tinham descartado o Auggie tantos anos antes.

Mesmo depois de tanto tempo, às vezes ainda era difícil ser amigo do Auggie.

20h22

Assim que papai entrou em casa com mamãe, ainda na cadeira de rodas, eu me joguei no sofá em frente à TV com meu McLanche Feliz pela metade. Liguei o aparelho com o controle remoto.

— Ei — começou papai, sacudindo o guarda-chuva. — Achei que você tivesse dever de casa.

— Só quero ver o final de *Amazing Race* enquanto eu como — respondi. — Vou fazer o dever quando acabar.

— Tudo bem se ele fizer isso? — perguntou ele à mamãe.

— Já está quase acabando mesmo, mãe! Por favor.

— Desde que você comece o dever assim que o programa terminar — respondeu ela, mas eu sabia que mamãe não estava prestando muita atenção. Estava olhando para a escada, balançando a cabeça. — Como vou subir, Angus? — A voz dela transmitia um grande cansaço.

— É para isso que estou aqui — respondeu ele.

Papai virou a cadeira de rodas para si, passou um braço por baixo de mamãe, o outro pelas costas e a ergueu da cadeira. Mamãe deu um gritinho alegre.

— Uau, pai, como você é forte! — falei, enfiando uma batata frita na boca enquanto olhava para eles. — Vocês deviam participar do *Amazing Race*. Sempre tem casais divorciados.

Papai começou a subir a escada com mamãe no colo. Os dois riam, esbarrando no corrimão e nas paredes. Foi legal vê-los assim. Da última vez que tínhamos estado todos juntos, eles não paravam de gritar um com o outro.

Assisti ao restante do programa. Quando o apresentador, Phil, estava dizendo ao último casal a chegar ao pit stop que eles tinham sido eliminados, meu telefone apitou. Mensagem do Elijah.

E aí chris. decidimos sair da banda da escola e formar a nossa própria banda. vamos tocar 7NationArmy na quarta.

Reli a mensagem. Eu estava literalmente de boca aberta. Sair da banda? Eles podiam fazer isso? O John ia ficar louco quando ninguém aparecesse no ensaio do dia seguinte. E o que seria da banda da escola? Só o John e eu tocando "The Final Countdown"? Que desastre!

Então chegou outra mensagem:

quer entrar pra nossa banda? queremos que VOCÊ entre. mas NÃO queremos o john. ele é muito ruim. vamos ensaiar na minha casa amanhã depois da escola. leva sua guitarra.

Papai desceu.

— Hora do dever de casa, Chris — falou, baixinho. Então ele reparou na minha cara. — O que houve?

— Nada — falei, deixando o telefone de lado. Eu estava meio que em choque. Eles me queriam na banda? — Acabei de lembrar que preciso ensaiar para o concerto de primavera.

— Ok, mas tem que ser baixinho — respondeu papai. — Sua mãe dormiu, e temos que deixá-la descansar, ok? Não faça muito barulho subindo as escadas. Se precisar de alguma coisa, vou estar no quarto de hóspedes.

— Espera. Você vai passar a noite aqui?

— Vou ficar alguns dias — respondeu ele. — Até sua mãe poder se virar sozinha.

Ele voltou a subir, levando as muletas que tinham emprestado à mamãe no hospital.

— Você pode imprimir os acordes de "Seven Nation Army" para mim? — pedi. — Tenho que aprender até amanhã.

— Claro — disse ele, do alto da escada. — Mas não esqueça: não pode tocar alto.

North River Heights

Nossa casa nova é muito maior que a antiga. Na verdade, a casa antiga era um apartamento em um prédio bem pequeno, e morávamos no primeiro andar. Tínhamos apenas um banheiro e um quintal minúsculo, mas eu adorava. Adorava nosso quarteirão. Sinto falta de poder ir a qualquer lugar a pé. Sinto falta até das árvores de ginkgo biloba. Para quem não conhece, são aquelas árvores que soltam uns caroços pequenos e moles que, quando a gente esmaga com o pé, soltam um cheiro de cocô de cachorro misturado com xixi de gato e algum lixo tóxico. O Auggie dizia que era cheiro de vômito de orc. Eu sempre ria disso. Enfim, eu sentia falta de tudo do nosso antigo bairro, até das árvores de ginkgo biloba.

Em North River Heights, mamãe tinha uma pequena floricultura na Amesfort Avenue, chamada A Terra Sorri com Flores. Ela trabalhava muito mesmo, e foi por isso que eles contrataram a Lourdes para tomar conta de mim. Eu sentia falta dela também. Das empanadas que ela fazia. De ouvi-la me chamando de *papi*. Mas em Bridgeport não precisávamos mais da Lourdes, porque mamãe vendeu a floricultura e passou a trabalhar só meio período. Agora ela me busca na escola de segunda a quarta. Às quintas, ela me busca na casa do John à noite e me deixa na casa do papai, onde fico até domingo.

Em North River Heights, papai chegava em casa geralmente às sete da noite, mas agora ele só consegue chegar depois das nove, por causa do percurso bem maior até a cidade. O plano inicial era que fosse uma mudança temporária, porque ele seria transferido para o escritório de Connecticut, mas já faz três anos que estamos aqui em Bridgeport e ele continua trabalhando em Manhattan. Ele e mamãe discutiam muito por isso.

Às sextas, papai sai cedo do trabalho para me buscar na escola. Normalmente pedimos comida chinesa para o jantar, tocamos um pouco de guitarra e assistimos a um filme. Mamãe fica zangada porque papai não me obriga a fazer o dever de casa no fim de semana, quando estou com ele, então no domingo à noite, quando volto para casa, fico sempre meio mal-humorado, tentando fazer o dever com ela. No último fim de semana, por exemplo, eu deveria ter estudado para a prova de matemática, mas fui jogar boliche com papai e simplesmente me esqueci de estudar. Mandei mal.

Acabei me acostumando com a casa nova em Bridgeport. Com meus novos amigos. Com o Luke (o hamster que não é cachorro). Mas, acima de tudo, sinto falta de como meus pais pareciam unidos.

Papai saiu de casa no último verão. Eles vinham brigando muito, mas não sei por que ele foi embora no verão. Só sei que um dia, do nada, eles me disseram que iam se separar. Precisavam de "um tempo afastados", para descobrir se ainda queriam viver juntos. Disseram que a decisão não tinha nada a ver comigo e que os dois "continuariam me amando" e me vendo tanto quanto antes. Falaram que ainda se amavam muito, mas que às vezes os casamentos são como amizades, que passam por testes e exigem que o casal supere desafios.

"Boas amizades valem um esforcinho a mais", eu me lembro de ter dito a eles.

Acho que mamãe nem lembrava que foi ela que me disse isso uma vez.

21h56

Fiquei ouvindo "Seven Nation Army" enquanto fazia o dever de casa. E tentando não pensar muito em como o John reagiria no dia seguinte, quando eu contasse a ele que ia entrar para a banda do pessoal. Quer dizer, acho que, no fundo, eu não tinha escolha. Se continuasse na banda da escola, seríamos só ele e eu tocando "The Final Countdown" no concerto de primavera, com o Sr. B. na bateria, e pareceríamos os maiores fracassados do mundo. Não éramos bons o bastante para tocar sozinhos. Eu só pensava no Harry tentando conter o riso enquanto o John tocava o solo de guitarra. Se fôssemos só nós dois no palco, seria *toda* a plateia se controlando para não rir.

Eu só não conseguia imaginar o que o John faria quando soubesse. Qualquer pessoa normal simplesmente desistiria de tocar no concerto. Mas, conhecendo o John, eu podia apostar que ele iria em frente. Ele não se importava em fazer papel de bobo. Eu já até via a cena: ele se esgoelando no microfone, desafinando na guitarra, o Sr. Bowles atrás no teclado. *Senhoras e senhores, a banda de rock da escola!* Só de pensar me encolhi de vergonha. Esse episódio o assombraria para sempre.

Estava difícil me concentrar no dever de casa, então levei muito mais tempo para acabar do que havia imaginado. Eram quase dez horas e eu nem tinha começado a estudar para a prova de matemática. Foi quando lembrei que estava completamente ferrado na matéria. Tinha deixado para estudar na última hora e não estava entendendo nada.

Papai estava na cama, trabalhando no laptop, quando abri a porta do quarto de hóspedes, levando comigo o livro de matemática ridiculamente pesado.

— Ei, pai.

— Ainda não foi dormir? — perguntou ele, olhando para mim por cima dos óculos de leitura.

— Preciso de ajuda para estudar para a prova de matemática de amanhã.

Ele deu uma olhada no relógio que fica na mesinha de cabeceira.

— É meio tarde para descobrir isso, não?

— Eu tinha muito dever de casa para fazer — respondi. — E tenho que aprender a música nova para tocar no concerto de primavera, que é depois de amanhã. Tem tanta coisa acontecendo, pai!

Ele assentiu. Então pôs o laptop de lado e deu um tapinha na cama para que eu me sentasse ao seu lado. Obedeci. Abri o livro na página 151.

— Então. Estou com dificuldade nos problemas.

— Ah, eu sou bom em problemas! — respondeu papai, sorrindo. — Deixa comigo.

Comecei a ler:

— Jill quer comprar mel na feira. Um vendedor está oferecendo uma garrafa de 750 ml por 3,12 dólares. Outro está vendendo a garrafa de 450 ml por 2,40 dólares. Qual é o melhor negócio e quanto Jill vai economizar por mililitro?

Coloquei o livro de lado e olhei para papai, que me encarava sem expressão.

— Ok. Hum... — começou ele, coçando a orelha. — Então são 750 ml por... por quanto mesmo? Vou precisar de um pedaço de papel. Pode me passar aquele caderno ali?

Estiquei a mão e peguei o caderno. Papai começou a rabiscar; depois, pediu que eu repetisse o enunciado do problema e continuou rabiscando.

— Ok, ok, então... — falou, virando o caderno para que eu visse os números que ele tinha rabiscado. — Você primeiro divide os números para saber qual é o valor por mililitro, depois você...

— Espera, espera — falei, balançando a cabeça. — Essa é a parte que eu não entendo. Como vou saber que tem que dividir? Como vou saber o que precisa fazer? Como você sabe?

Ele baixou os olhos para os rabiscos no caderno outra vez, como se a resposta estivesse ali.

— Posso ler? — pediu ele, ajeitando os óculos de leitura no nariz e olhando para o trecho do livro que eu estava indicando. — Ok. Bem, você sabe que tem que dividir porque... hum... bem, você quer saber o preço por mililitro... porque é o que diz bem aqui.

Olhei rapidamente para o trecho que ele estava indicando, mas balancei a cabeça.

— Não entendi.

— Bem, veja, Chris. Bem aqui. Está perguntando qual é o preço por mililitro.

Balancei a cabeça de novo.

— Não estou entendendo! — falei, quase gritando. — Que raiva! Eu sou muito ruim em matemática.

— Calma, Chris — respondeu ele, tranquilamente. — Você só precisa respirar fundo e...

— Não! Você não entende. Nada disso faz sentido para mim!

— E é por isso que eu estou tentando explicar.

— Posso pedir ajuda para a mamãe?

Ele tirou os óculos e esfregou os olhos com o pulso.

— Chris, ela está dormindo. Temos que deixá-la descansar hoje. Podemos resolver isso sozinhos, tenho certeza.

Comecei a esfregar os olhos com os nós dos dedos. Papai puxou minha mão com delicadeza.

— Por que você não liga para um dos seus colegas? Que tal o John?

— Ele é do quarto ano! — falei, impaciente.

— Hum. Bem, então outra pessoa.

— Não! — Balancei a cabeça. — Não tem ninguém que possa me ajudar. Não tenho nenhum amigo esse ano. Quer dizer, meus amigos de verdade não estão na mesma turma que eu. E eu não me dou muito bem com o pessoal da minha turma.

— Então ligue para seus outros amigos, Chris — sugeriu ele, pegando o celular. — Que tal o Elijah e os garotos da banda? Tenho certeza de que todos já fizeram essa aula.

— Não! Pai! Droga! — Cobri o rosto com as mãos. — Vou me dar muito mal nessa prova. Não entendo nada. Simplesmente não entendo.

— Ok, fique calmo. E o Auggie? Ele é um gênio da matemática, não é?

— Deixa pra lá! — falei, balançando a cabeça. Peguei o livro de volta. — Vou dar um jeito.

— Christopher...

— Tudo bem, pai — falei, me levantando. — Vou dar um jeito. Ou mandar uma mensagem para alguém. Tudo bem.

— Simples assim?

— Está tudo bem. Obrigado, pai.

Fechei o livro e me levantei.

— Lamento não ter conseguido ajudar — disse papai, e, por um segundo, tive pena dele. Parecia meio derrotado. — Quer dizer, acho que podemos resolver isso juntos se você me der mais uma chance.

— Não, tudo bem — respondi, saindo do quarto.

— Boa noite, Chris.

— Boa noite, pai.

Fui para o meu quarto, sentei à escrivaninha e abri o livro na página 151 outra vez. Tentei reler o problema, mas minha cabeça teimava em repetir a letra de "Seven Nation Army". Que também não fazia sentido para mim.

Por mais que eu relesse o problema, não conseguia descobrir por onde começar.

Plutão

Algumas semanas antes de irmos morar em Bridgeport, os pais do Auggie foram à nossa casa ajudar meus pais a empacotar as coisas para a grande mudança. Todo o nosso apartamento estava encaixotado.

O Auggie e eu estávamos fazendo uma guerra de armas de espuma na sala. As caixas eram alienígenas hostis de Plutão. De vez em quando, uma das balas de espuma atingia a Via, que estava tentando ler no sofá. Ok, talvez a gente estivesse fazendo um pouquinho de propósito, hihihi.

— Parem com isso! — gritou ela, finalmente, quando eu acertei o livro dela. — Mãe!

Mas a Isabel e o Nate estavam lá longe na cozinha, com os meus pais, fazendo um lanche rápido.

— Vocês podem parar, por favor? — pediu a Via, séria.

Assenti, mas o Auggie atirou de novo no livro dela.

— É um tiro de pum — disse ele.

E nós dois caímos na gargalhada.

A Via ficou uma fera.

— Vocês são tão nerds — comentou ela, balançando a cabeça. — *Star Wars*.

— Não é *Star Wars*. É Plutão! — respondeu o Auggie, apontando a arma para ela.

— Plutão nem é um planeta de verdade — disse ela, abrindo o livro para voltar a ler.

O Auggie lançou outro tiro nela.

— Do que você está falando? É, sim.

— Para com isso, Auggie, ou eu juro que vou...

O Auggie baixou a arma.

— É, sim — repetiu ele.

— Não é, não — insistiu a Via. — *Era* um planeta. Não acredito que vocês, dois minigênios, não sabem disso depois de verem tantos vídeos sobre o espaço!

O Auggie não respondeu imediatamente, como se estivesse processando o que ela havia acabado de falar.

— Mas "Minha Vó Tem Muitas Joias, Só Usa No Pescoço"! É assim que as pessoas decoram a ordem e os nomes dos planetas no Sistema Solar. Foi como a mamãe ensinou.

— Minha Vó Tem Muitas Joias, Só Usa Nada! — respondeu a Via. — Aqui, vou provar para vocês.

Ela começou a pesquisar no celular.

Pode ser que essa informação tenha cruzado nosso caminho em algum momento, em todos os livros de ciências e em todos os vídeos que vimos, mas acho que nunca entendemos de verdade o que significava. Ainda éramos pequenos quando estávamos em nossa fase espacial. Mal sabíamos ler.

A Via começou a ler em voz alta o que tinha encontrado no celular:

— Da Wikipédia: "O entendimento de que Plutão é apenas um de vários grandes corpos congelados nas margens do Sistema Solar fez com que a União Astronômica Internacional (IAU) definisse formalmente o que é 'planeta' em 2006. Essa definição excluiu Plutão e o reclassificou, colocando-o na nova categoria 'planeta-anão' (especificamente como um plutoide)." Preciso continuar? Basicamente, isso significa que Plutão foi considerado pequeno demais para ser um planeta de verdade. Então pronto. Estou certa.

O Auggie parecia muito chateado.

— Mamãe! — gritou ele.

— Não é nada de mais, Auggie — disse a Via, vendo que ele estava ficando muito irritado.

— É, sim! — retrucou ele, disparando pelo corredor.

A Via e eu o seguimos até a cozinha, onde nossos pais estavam sentados à mesa, comendo bagels com cream cheese.

— Você disse que era "Minha Vó Tem muitas Joias, Só Usa No Pescoço"! — disse ele, disparando para cima da Isabel.

Ela quase derramou o café.

— O que...?

— Por que você está dando tanta importância a isso, Auggie? — interrompeu a Via.

— O que está havendo, crianças? — perguntou a Isabel, olhando do Auggie para a Via.

— Porque *é* importante! — gritou o Auggie, a plenos pulmões.

Aquele grito foi tão alto e inesperado que todo mundo na cozinha apenas ficou se entreolhando.

— Calma, rapaz — disse o Nate, botando a mão no ombro do filho.

Mas o Auggie se esquivou.

— Você me disse que Plutão era um dos nove planetas! — gritou para a mãe. — Disse que era o menor planeta do Sistema Solar.

— E é, querido — respondeu a Isabel, tentando fazê-lo se acalmar.

— Não é não, mãe — disse a Via. — Eles mudaram o status de Plutão em 2006. Não é mais considerado um dos noves planetas do Sistema Solar.

A Isabel olhou para a filha, depois para o marido.

— Sério?

— Eu sabia — respondeu o Nate, muito sério. — Fizeram a mesma coisa com o Pluto e o Pateta.

Todos os adultos riram.

— Pai, não tem graça! — berrou o Auggie.

Então, do nada, ele começou a chorar. Lágrimas grossas. De soluçar.

Ninguém entendeu o que estava acontecendo. A Isabel abraçou o Auggie, que soluçava com a cabeça enfiada no pescoço dela.

— Auggie — disse o Nate, acariciando as costas dele. — O que está acontecendo, rapazinho?

— Via, o que você fez? — perguntou a Isabel, severa.

— Não tenho a menor ideia! — falou a Via, arregalando os olhos. — Eu não fiz nada!

— Tem que ter acontecido alguma coisa! — insistiu a Isabel.

— Chris, você sabe por que o Auggie está tão chateado? — perguntou mamãe.

— Por causa de Plutão — respondi.

— Mas o que tem isso? — insistiu ela.

Dei de ombros. Eu entendia por que ele estava chateado, mas não conseguia explicar.

— Você disse... que era... um planeta... — falou o Auggie, entre os soluços.

Mesmo em circunstâncias normais, às vezes era difícil entendê-lo. No meio de uma crise de choro, era ainda pior.

— O quê, meu amor? — sussurrou a Isabel.

— Você disse... que era... um planeta — repetiu ele, olhando para a mãe.

— Achei que fosse, Auggie — respondeu ela, secando as lágrimas dele com os dedos. — Eu não sabia, querido. Não sou professora de ciências. Quando eu era criança, havia nove planetas. Nunca imaginei que isso pudesse mudar.

Nate se ajoelhou ao lado dele.

— Mas, mesmo que não seja mais considerado um planeta, Auggie, não entendo por que isso deixou você assim.

O Auggie baixou os olhos. Mas eu sabia que não havia como explicar suas lágrimas plutonianas.

22h28

Por volta de dez e meia, eu estava ficando desesperado por causa da prova de matemática. Tinha mandado uma mensagem de texto para o Jake, que era da minha turma, e para alguns outros colegas, pelo Facebook. Quando meu celular tocou, achei que fosse um deles, mas não: era o Auggie.

Oi, Chris. Acabei de saber que sua mãe esteve no hospital. Sinto muito, espero que ela esteja bem.

Não acreditei que ele estava me escrevendo bem na hora em que eu estava pensando nele. Meio psíquico.

Respondi:

Oi, Aug. Vlw. Ela tá bem. Quebrou o fêmur. Tá com um gesso enorme.

Ele me enviou uma carinha triste.

Escrevi: *Meu pai teve que carregar ela no colo pro quarto! Ficaram batendo nas paredes.*

Ha ha, enviou ele, junto com uma carinha rindo.

Mandei: *Eu ia ligar pra vc hj. Pra dizer que sinto mto pela Daisy. :(((((*

Ah, é. Vlw. Ele enviou uma série de carinhas chorando.

Ei, lembra das Aventuras Intergalácticas de Darth Daisy?, escrevi.

Era uma tirinha que desenhávamos juntos antigamente, sobre dois astronautas chamados Gleebo e Tom, que viviam em Plutão e tinham uma cadela chamada Darth Daisy.

Ha ha. Lembro! Major Gleebo.

Major Tom.

Era mto mto legal, escreveu ele.

A Daisy era a cachorrinha MAIS LEGAL DO UNIVERSO!, digitei em maiúsculas. Eu estava sorrindo.

Ele me enviou uma foto dela. Fazia muito tempo que eu não a via. Na foto, a cara dela estava completamente branca, os olhos meio embaçados. Mas o focinho continuava rosado e a língua ainda era bem comprida, caindo para fora da boca.

Tão fofa! Daisy!!!!!!!, escrevi.

DARTH Daisy!!!!!!!!!!!!!!!

Ha ha. Toma essa, Via!

Lembra daqueles tiros de pum?

Hahahahahaha. A essa altura eu estava rindo sozinho. Foi a parte mais alegre do meu dia, para ser sincero. Quando ainda éramos obcecados por Plutão.

A gente já gostava de Star Wars*?*

Começando. Vc ainda tem as miniaturas?

Tenho, mas tive que me desfazer de algumas. Então, Gleebo, minha mãe tá dizendo que tenho que ir dormir agora. Que bom que a sua mãe tá bem.

Naquele momento, não havia a menor chance de pedir a ele para me ajudar com matemática. Não tinha o menor clima. Sentei na beira da cama e comecei a responder à mensagem.

Antes que eu terminasse, ele escreveu: *Na verdade, minha mãe quer falar com você. Pelo FaceChat. Tá livre?*

Eu me levantei. *Claro.*

Dois segundos depois, recebi uma chamada. Vi a Isabel na tela do celular.

— Oi, Isabel — falei.

— Oi, Chris! — Dava para ver que ela estava na cozinha. — Como vai? Falei com a sua mãe hoje mais cedo. Queria ter certeza de que vocês tinham chegado bem em casa.

— Sim, está tudo bem.

— E como ela está? Não queria acordá-la se estivesse dormindo.

— Sim, está dormindo.

— Ah, que bom. Ela precisa descansar. É um gesso enorme!

— Papai vai passar a noite aqui.

— Ah, que ótimo! — respondeu ela, alegre. — Fico muito feliz. E como você está, Chris?

— Bem.

— E a escola?

— Vai bem.

Ela sorriu.

— A Lisa me contou que você deu flores lindas para ela hoje.

— É — respondi, sorrindo e assentindo.

— Legal. Bom, só queria ver se vocês estavam bem e dar um oi, Chris. Quero que saiba que estamos pensando em vocês, e se pudermos fazer alguma coisa...

— Sinto muito pela Daisy — falei, meio do nada.

A Isabel assentiu.

— Ah. Obrigada, Chris.

— Vocês devem estar muito tristes.

— Sim, é triste. Ela era uma presença e tanto na nossa casa. Ah, você sabe, estava aqui quando ela chegou. Lembra?

— Ela era tão magra! — falei.

Eu estava sorrindo, mas de repente, do nada, minha voz ficou um pouco trêmula.

— Com aquela língua enorme! — A Isabel riu.

Senti um nó na garganta, como se eu fosse começar a chorar.

A Isabel ficou me olhando.

— Ah, querido, está tudo bem — disse ela, baixinho.

A mãe do Auggie sempre foi como uma segunda mãe para mim. Quer dizer, fora a minha família, e talvez a minha avó, Isabel Pullman me conhecia melhor do que ninguém.

— Eu sei — sussurrei. Eu ainda sorria, mas meu queixo estava tremendo.

— Querido, onde está seu pai? Pode passar o telefone para ele?

Dei de ombros.

— Acho... que ele já deve estar dormindo.

— Tenho certeza de que ele não se importaria se você o acordasse — disse ela, com a voz suave. — Vá chamá-lo, por favor. Eu espero.

O Auggie enfiou a cabeça na frente da mãe para aparecer na tela.

— O que foi, Chris? — perguntou ele.

Balancei a cabeça, lutando contra as lágrimas. Eu não conseguia falar. Sabia que, se abrisse a boca, ia começar a chorar.

— Christopher — disse a Isabel, se aproximando da tela —, sua mãe vai ficar bem, querido.

— Eu sei — respondi, a voz falhando, mas então as palavras saíram: — Mas ela estava no carro por minha causa! Porque eu esqueci o trombone. Se eu não tivesse esquecido as minhas coisas, ela não teria sofrido um acidente! A culpa é minha, Isabel! Ela podia ter morrido!

Tudo isso irrompeu de dentro mim numa terrível série de explosões chorosas.

22h52

A Isabel deixou o Auggie no telefone enquanto ligava para o celular do meu pai, para avisar que eu estava chorando histericamente no meu quarto. Um minuto depois, papai entrou, e eu me despedi do Auggie. Papai me abraçou apertado.

— Chris...

— Foi minha culpa, pai! Foi minha culpa ela estar dirigindo.

Ele me soltou e ficou cara a cara comigo.

— Olhe para mim, Chris — disse. — Não foi culpa sua.

— Ela estava voltando para a escola com as minhas coisas. — Funguei. — Eu falei para ela correr. Devia estar acima do limite de velocidade.

— Não, não estava, Chris. Juro para você. O que aconteceu hoje foi só um acidente. Não é culpa de ninguém. Foi uma fatalidade. Entendeu?

Desviei o olhar.

— Entendeu? — insistiu ele.

Fiz que sim com a cabeça.

— E o mais importante de tudo é que ninguém sofreu nada grave. Sua mãe está bem, ok?

Ele secava minhas lágrimas enquanto eu assentia.

— Fiquei chamando a mamãe de Lisa — falei. — Ela detesta quando eu faço isso. A última coisa que ela disse para mim foi "Te amo!" e eu respondi "Tchau, Lisa". E nem me virei para ela!

Papai pigarreou.

— Chris, por favor, não se martirize — falou, devagar. — Sua mãe sabe que você a ama muito. Escuta, o que aconteceu hoje foi assustador. É normal que você esteja chateado. Quando algo assustador assim acontece, funciona como um alerta, sabia? Faz a gente repensar o que é importante na vida. Nossa família. Nossos amigos. As pessoas que amamos. — Ele olhava para mim enquanto falava, mas eu quase sentia que estava falando para si mesmo. Seus olhos estavam marejados. — Vamos apenas agradecer por ela estar bem, certo, Chris? E vamos tomar conta dela direitinho, ok?

Assenti. Mas não tentei dizer nada. Eu sabia que só derramaria mais lágrimas.

Papai me puxou para perto, mas também não disse nada. Talvez pelo mesmo motivo.

22h59

Depois de me acalmar um pouco, papai ligou para a Isabel, para dizer que estava tudo bem. Eles conversaram, depois papai passou o telefone para mim.

Era o Auggie.

— Ei, seu pai disse para a minha mãe que você está precisando de ajuda em matemática.

— Ah, é — respondi, tímido, assoando o nariz. — Mas está tão tarde… Você não tem que ir dormir?

— Mamãe falou que eu posso ajudar você. Vamos nos falar pelo FaceChat?

Dois segundos depois, ele estava na tela.

— Então, estou com dificuldade com os problemas — falei, abrindo o livro. — Eu … Eu não entendo como vou saber qual operação usar. Quando multiplicar ou dividir. É tão confuso!

— Ah, isso. É, eu também tinha muita dificuldade com isso. Você já decorou as palavras-chave? Isso me ajudou bastante.

Eu não tinha ideia do que era aquilo.

— Vou mandar um PDF para você — disse ele.

Dois segundos depois, imprimi o PDF que ele tinha mandado. Era uma lista de um monte de termos matemáticos.

— Se você souber quais palavras-chave procurar nos problemas — explicou o Auggie —, vai saber qual operação usar. Por exemplo, palavras como "por", "cada" ou "igualmente" indicam que você tem que dividir. E "cinco vezes esse valor" ou "o dobro" significam multiplicação. Entende?

Ele passou toda a lista de palavras comigo, uma a uma, até que aquilo enfim começou a fazer algum sentido. Depois, fizemos os problemas do livro de matemática, começando pelos exemplos resolvidos. Ele tinha razão: depois que encontrava a palavra-chave de cada problema, eu entendia o que era para fazer. Consegui resolver quase todos os exercícios sozinho, embora o Auggie tenha revisado cada um deles comigo depois que terminei, só para ter certeza de que eu tinha entendido mesmo.

23h46

Meu tipo de livro preferido sempre foi suspense. Tipo, tem algo no início do livro que você não sabe. E aí, no fim, você descobre. Mas as pistas estavam ali o tempo todo, você só não sabia como lê-las. Foi assim que me senti depois de falar com o Auggie. Como se esse mistério colossal que eu não conseguia entender antes estivesse agora completamente resolvido.

— Não acredito que finalmente estou entendendo — falei para ele depois que revisamos o último problema. — Valeu mesmo, Aug. Sério, obrigado.

Ele sorriu e se aproximou mais da tela.

— Tranquilo — falou.

— Realmente devo uma a você.

O Auggie deu de ombros.

— Sem problema. É para isso que servem os amigos, certo?

— É.

— Boa noite, Chris. A gente se fala!

— Boa noite, Aug! Obrigado mais uma vez. Tchau!

Ele desligou. Fechei o livro.

Fui ao quarto de hóspedes contar ao papai que o Auggie tinha me ajudado a entender a matéria toda de matemática, mas ele não estava lá. Bati na porta do banheiro, mas ele também não estava lá. Então notei que a porta do quarto da minha mãe estava aberta. Dava para ver as pernas dele esticadas na cadeira perto da penteadeira. Do corredor não dava para ver o rosto dele, então entrei de fininho, para avisar que eu tinha terminado de falar com o Auggie.

Foi quando notei que ele tinha pegado no sono, a cabeça caída de lado. Os óculos estavam na ponta do nariz, e o laptop, no colo.

Fui na ponta dos pés até o armário, peguei um edredom e cobri as pernas dele. Fiz isso bem de leve, para não acordá-lo. Então peguei o laptop e o coloquei na penteadeira.

Fui até o lado da cama onde mamãe estava dormindo. Quando eu era pequeno, ela sempre pegava no sono enquanto lia para mim, na hora de dormir. Eu a cutucava para acordá-la se o livro ainda não tivesse terminado, mas às vezes era mais forte que ela. Mamãe dormia ao meu lado, e eu ficava ouvindo a respiração suave dela até pegar no sono também.

No entanto, já fazia muito tempo que eu não a via dormindo. Ao olhar para ela agora, mamãe parecia meio pequena. Eu não me lembrava das sardas que ela tinha nas bochechas. Nunca tinha reparado nas pequenas linhas em sua testa.

Por alguns segundos fiquei observando-a respirar.

— Eu te amo, mamãe.

Mas não falei alto, porque não queria acordá-la.

23h59

Quando voltei para o meu quarto, era quase meia-noite. Tudo estava exatamente como eu tinha deixado pela manhã. Minha cama ainda desarrumada; meu pijama embolado no chão; a porta do armário escancarada. Em geral, mamãe arrumava meu quarto depois de me deixar na escola, mas dessa vez, claro, ela não pôde fazer isso.

Parecia que haviam se passado dias desde que ela tinha me acordado.

Fechei a porta do armário, e foi quando notei o trombone encostado na parede. Então o acidente não tinha acontecido quando ela estava levando as minhas coisas! Não sei bem por quê, mas isso fez com que eu me sentisse muito melhor.

Coloquei o trombone ao lado da porta do quarto, para não esquecê-lo de novo no dia seguinte, quando estivesse indo para a escola, e guardei o dever de ciências e o short de educação física na mochila.

Então me sentei à escrivaninha.

Sem pensar muito, respondi a mensagem do Elijah.

Oi, Elijah. Obrigado por me convidar para entrar na banda de vocês. Mas vou ficar com o John para o concerto de primavera. Boa sorte com Seven Nation Army.

Mesmo que eu fizesse papel de idiota na apresentação, não ia abandonar o John assim. É para isso que servem os amigos, certo? *It's the final countdown!*

Às vezes, as amizades são difíceis.

Vesti o pijama, escovei os dentes e fui para a cama. Então apaguei o abajur na mesinha de cabeceira. As estrelas no teto brilhavam, com um forte tom verde-neon, como sempre acontecia logo depois que eu apagava a luz.

Eu me virei para o lado, e foi quando bati os olhos numa luzinha verde em forma de estrela no chão. Era a estrela que mamãe tinha colado na minha testa de manhã, que eu tinha jogado longe.

Eu me levantei, peguei a estrela e a colei na testa. Então voltei a me deitar e fechei os olhos.

We're leaving together
But still it's farewell
And maybe we'll come back
To Earth, who can tell
I guess there is no one to blame
We're leaving ground
Will things ever be the same again?

*It's the final countdown...**

[* Estamos partindo juntos/Mas ainda é um adeus/E talvez a gente volte/para a Terra, quem vai saber?/Acho que não é culpa de ninguém/Estamos saindo do chão/As coisas algum dia voltarão a ser as mesmas?/É a contagem regressiva final...]

Shingaling

Shingaling

Uma história

EXTRAORDINÁRIA

Mas a cada primavera
Torna-se jovem de novo,
E as fadas cantam.

— *Flower Fairies of the Spring*, 1923

• • •

Nobody can do the shingaling like I do.
[Ninguém dança o shingaling como eu.]

— The Isley Brothers, "Nobody but Me"

Como eu ia para a escola

Todos os dias, a caminho da escola, eu passava por um senhor cego que tocava acordeão na Main Street. Ele se sentava num banco debaixo do toldo do supermercado A&P, na esquina da Moore Avenue, com um cão-guia deitado num cobertor à sua frente. A cadela tinha uma bandana vermelha amarrada no pescoço. Era uma labradora preta. Eu sei porque minha irmã Beatrix um dia perguntou a ele.

— Com licença, senhor. Qual é a raça desse cachorro?

— Joni é uma labradora preta, senhorita — respondeu ele.

— Ela é muito fofa. Posso fazer carinho?

— É melhor não. Ela está trabalhando agora.

— Ok, obrigada. Tenha um bom dia.

— Tchau, senhorita.

Minha irmã acenou para ele. Ele não tinha como saber disso, claro, então não acenou de volta para ela.

Beatrix tinha oito anos. Sei disso porque era meu primeiro ano na Beecher Prep, o que significa que eu estava no jardim de infância.

Eu mesma nunca falei com o homem do acordeão. Detesto admitir, mas eu meio que tinha medo dele na época. Seus olhos, que estavam sempre abertos, eram meio vidrados e turvos. Eram cor de creme e pareciam feitos de mármore. Isso me assustava. Eu tinha até um pouco de medo da cadela, o que não fazia nenhum sentido, porque eu adorava cachorros. Quer dizer, eu *tenho* um cachorro! Mas tinha medo da cadela dele, com o focinho cinzento e os olhos meio pegajosos também. Mas — e este é um grande mas —, mesmo com medo dos dois, do homem *e* de sua cadela, eu sempre deixava uma nota de um dólar no estojo do acordeão aberto na frente deles. E de algum modo, mesmo que ele estivesse tocando e por mais silenciosa que eu fosse, o homem do acordeão sempre ouvia o farfalhar da nota caindo no estojo.

— Deus abençoe a América — dizia ele para o nada, assentindo na minha direção.

Isso sempre me fez pensar. Como ele conseguia ouvir aquilo? Como sabia em que direção assentir?

Minha mãe explicou que as pessoas cegas desenvolvem os outros sentidos para compensar aquele que perderam. Então, como ele era cego, tinha uma ótima audição.

Isso, claro, fez com que eu me perguntasse se ele tinha outros superpoderes também. Tipo, no inverno, quando estava frio, será que seus dedos tinham um poder mágico de se manterem aquecidos enquanto apertavam as teclas do instrumento? E como o resto do corpo dele ficava quente? Naqueles dias muito frios em que meu queixo começava a bater depois de andar apenas alguns quarteirões contra o vento gelado, como ele se mantinha aquecido o bastante para tocar o acordeão? Algumas vezes eu via pedacinhos de gelo se formando em partes do seu bigode e da sua barba, ou via o homem se curvar para ter certeza de que a cadela estava coberta com a manta. Então eu sabia que ele *sentia* frio, mas como continuava tocando? Se isso não é um superpoder, não sei o que é!

No inverno, eu sempre pedia a minha mãe *dois* dólares para pôr no estojo do acordeão em vez de apenas um.

Fush. Fush.

— Deus abençoe a América.

Ele sempre tocava as mesmas oito ou dez músicas. Menos no Natal, quando tocava "Noite Feliz" e "Jingle Bells". Mas, fora isso, eram as mesmas músicas. Minha mãe sabia o nome de algumas. "Delilah", "Lara's Theme" e "Those Were the Days". Baixei todas as músicas que ela citou, e a mamãe estava certa, *eram* aquelas músicas. Mas por que só aquelas? Eram as únicas que ele tinha aprendido a tocar ou eram as únicas de que se lembrava? Ou ele sabia um montão, mas escolhia tocar só aquelas?

E todas essas perguntas me faziam pensar ainda mais! Quando ele aprendeu a tocar acordeão? Será que foi quando ainda era pequeno? Ele enxergava na época? Se não enxergava, como lia as partituras? Onde ele cresceu? Onde morava quando não estava na esquina da Main Street com a Moore Avenue? Eu já o vi andando com a cadela algumas vezes, a mão direita segurando a coleira, e a esquerda, o estojo do acordeão. Eles andavam tão devagar! Não parecia que podiam ir muito longe. Então, *aonde* eles iam?

Havia muitas perguntas que eu teria feito se não tivesse medo dele. Mas nunca as fiz. Apenas lhe dava notas de um dólar.

Fush.

— Deus abençoe a América.

Era sempre igual.

Então, quando fiquei mais velha e não sentia mais *tanto* medo, as dúvidas que eu tinha em relação a ele perderam a importância. Acho que fiquei tão acostumada a vê-lo que já não pensava de verdade nos seus olhos turvos nem me perguntava se ele tinha superpoderes. Não que eu tenha parado de lhe dar a nota de um dólar quando passava nem nada. Mas agora era mais um hábito, como passar o cartão do metrô pela roleta.

Fush.

— Deus abençoe a América.

Quando comecei o quinto ano, parei de vê-lo, porque já não passava pela mesma rua a caminho da escola. O prédio do ensino fundamental da Beecher Prep fica alguns quarteirões mais perto da minha casa do que o da pré-escola, então agora eu vou para a escola com Beatrix e minha irmã mais velha, Aimee, e volto para casa com minha melhor amiga, Ellie, e com Maya e Lina, que moram perto de mim. De vez em quando, no início do ano letivo, nós íamos comprar salgadinhos no supermercado depois da escola, antes de irmos para casa, e eu via o homem do acordeão e lhe dava um dólar e o ouvia abençoar a América. Mas, conforme foi esfriando, não íamos mais lá com frequência. E, por isso, foi só durante o recesso de inverno, quando fui ao supermercado com minha mãe certa tarde, que percebi que o homem cego que tocava acordeão na Main Street não estava mais lá.

Ele havia partido.

Como passei o recesso de inverno

As pessoas que me conhecem sempre dizem que sou muito dramática. Não tenho a menor ideia de por que dizem isso, pois não sou *nada* dramática. Mas quando descobri que o homem do acordeão tinha partido, eu meio que pirei! Não sei por quê, mas não parava de pensar obsessivamente sobre o que poderia ter acontecido com ele. Era como um mistério que eu tinha que solucionar! O que havia acontecido com o senhor que tocava acordeão na Main Street?

Ninguém sabia. Minha mãe e eu perguntamos às caixas do supermercado, à moça da lavanderia e ao homem da ótica do outro lado da rua se eles sabiam algo sobre ele. Perguntamos até ao policial que patrulhava o quarteirão. Todos o conheciam, mas ninguém sabia o que tinha acontecido, só sabiam que um dia — *puf!* — ele não estava mais lá. O policial me disse que em dias muito frios os sem-teto são levados para os abrigos municipais para não morrerem congelados. Ele achava que tinha sido isso. Mas a moça da lavanderia falou que tinha certeza de que ele não era mendigo. Achava que ele morava em algum lugar em Riverdale, porque o vira saltar do ônibus Bx3 com sua cadela bem cedo pela manhã. E o homem da ótica disse que tinha certeza de que o homem do acordeão havia sido um músico de jazz famoso e na verdade era muito rico, então eu não precisava me preocupar com ele.

Você deve estar pensando que essas respostas me ajudaram, certo? Não! Elas só levantaram uma porção de outras perguntas que me deixaram ainda *mais* curiosa. Tipo, o homem do acordeão estava passando o inverno num abrigo para sem-teto? Estava morando em sua bela casa em Riverdale? Tinha mesmo sido um famoso músico de jazz? Era rico? Se era rico, por que tocava por dinheiro?

A propósito, a minha família não aguentava mais me ouvir falar disso.

Beatrix disse: "Charlotte, se você falar disso mais uma vez, vou vomitar em cima de você!"

E Aimee disse: "Charlotte, dá pra *deixar* isso pra lá?"

Foi minha mãe que sugeriu que um bom modo de "canalizar" minha energia seria dar início a uma campanha de doação de agasalhos na vizinhança para ajudar os sem-teto. Espalhamos folhetos pedindo às pessoas que doassem seus casacos "usados e em bom estado" colocando-os em sacos plásticos dentro de uma caixa gigante que deixamos na frente do nosso prédio. Então, depois que coletamos cerca de dez grandes sacos de lixo cheios de casacos, minha mãe, meu pai e eu fomos de carro até o abrigo na Bowery Street, no centro da cidade, para doar os agasalhos. Tenho que dizer que foi muito bom entregar todos aqueles casacos a pessoas que realmente precisavam! Dei uma volta pelo abrigo com meus pais para ver se o homem do acordeão estava por lá, mas não o encontrei. De todo modo, eu sabia que ele já tinha um bom casaco: uma parca laranja da Canada Goose que fez minha mãe ter esperança de que os boatos sobre ele ser rico fossem verdade.

— Mendigos não usam Canada Goose — observou mamãe.

Quando voltei para a escola depois do recesso de inverno, o Sr. Buzanfa, o diretor, me parabenizou por ter feito a campanha do agasalho. Não sei como ele ficou sabendo, mas ficou. Era um consenso que o Sr. Buzanfa tinha um tipo de drone de vigilância secreto fazendo relatórios sobre tudo o que acontecia na Beecher Prep: não havia outro modo de ele saber todas as coisas que parecia saber.

— Foi um belo modo de passar o recesso de inverno, Charlotte — disse ele.

— Ah, obrigada, Sr. Buzanfa!

Eu adorava o Sr. Buzanfa. Ele sempre foi muito legal. Era um daqueles professores que nunca falavam com os alunos como se fôssemos crianças pequenas. Ele usava palavras difíceis, pressupondo que você as conhecia e entendia, e nunca desviava o olhar quando você falava com ele. Eu também adorava o fato de ele usar suspensórios, gravata-borboleta e tênis vermelhos.

— O que você acha de ajudar a organizar uma campanha do agasalho aqui na Beecher Prep? — perguntou ele. — Agora que você tem experiência, eu adoraria sua colaboração.

— Claro! — respondi.

E foi assim que acabei fazendo parte da primeira Campanha Anual do Agasalho da Beecher Prep.

De todo modo, em meio à campanha e a todos os dramas da escola depois do recesso de inverno (falo mais disso em breve!), acabei não tendo chance de descobrir o que aconteceu com o senhor cego que tocava acordeão na Main Street. Ellie não estava nem um pouco interessada em me ajudar a resolver esse mistério, embora fosse o tipo de coisa que talvez despertasse seu interesse apenas alguns meses antes. E Maya e Lina sequer se lembravam dele. De fato, ninguém parecia se importar com o que havia acontecido com o homem do acordeão, então acabei deixando o assunto de lado.

No entanto, às vezes ainda penso nele. De vez em quando, me lembrava de uma das músicas que ele tocava no acordeão. E então eu a cantarolava pelo resto do dia.

Como a guerra dos meninos começou

A *única* coisa de que todo mundo falava quando voltamos às aulas era "a guerra", também chamada de "a guerra dos meninos". Poucos dias antes do recesso de inverno, Jack Will foi suspenso por dar um soco no rosto de Julian Albans. *Caramba, que drama!* Todos fofocavam sobre o ocorrido, mas ninguém sabia direito por que Jack tinha feito aquilo. A maioria achava que tinha algo a ver com Auggie Pullman. Para entender, você precisa saber que Auggie Pullman é um garoto da nossa escola que nasceu com graves anomalias faciais. E, por graves, quero dizer *graves*. Tipo, graves *mesmo*. Nenhum dos seus traços está onde deveria. É algo meio chocante quando você o vê pela primeira vez, porque parece que Auggie está usando uma máscara ou coisa parecida. Então, quando ele entrou na Beecher Prep, todo mundo sabia quem ele era. Era impossível não notá-lo.

Algumas pessoas — como o Jack, a Summer e *eu* — foram legais com ele desde o início. Tipo, quando eu passava por ele no corredor, sempre dizia: "Oi, Auggie, tudo bem?" e coisas assim. Bem, é claro que parte disso foi porque, antes do início das aulas, o Sr. Buzanfa tinha me pedido para fazer parte do comitê de boas-vindas do Auggie, mas eu teria sido legal com ele mesmo que o Sr. Buzanfa não tivesse me pedido.

No entanto, a maioria das pessoas — como Julian e seu grupinho — não era *nada* legal com Auggie, sobretudo no início. Nem acho que eles estivessem tentando necessariamente ser maus. Acho que só estavam um pouco perturbados com o rosto dele. Eles diziam coisas estúpidas pelas costas do Auggie. O chamavam de *Monstro*. Faziam aquele jogo chamado "A praga", do qual, aliás, eu *não* participei! (Se nunca toquei em Auggie Pullman, foi só porque não tive motivo para isso — nada mais!) Ninguém queria andar com ele ou formar dupla com ele nas aulas. Pelo menos no início do ano letivo. Mas depois de alguns meses, as pessoas começaram a se acostumar com ele. Não que fossem legais de verdade nem nada, mas pelo menos pararam de ser más. Quer dizer, todos *menos* Julian, que continuava criando caso! É como se ele não conseguisse superar o fato de Auggie ter a aparência que tem! Como se o pobre garoto pudesse fazer alguma coisa, não é?

Enfim, então o que todo mundo acha que aconteceu foi que Julian disse algo terrível sobre Auggie para Jack. E Jack — sendo um bom amigo — deu um soco nele. *Bum.*

E então Jack foi suspenso. *Bum.*

E agora voltou da suspensão! *Bum!*

E esse é o *drama!*

Mas a história não terminou por aí!

Porque isto aconteceu: durante o recesso de inverno, Julian deu um festão e, basicamente, colocou todo mundo do quinto ano contra Jack. Ele espalhou o boato de que a psicóloga da escola disse para a mãe dele que Jack é emocionalmente instável. E que a pressão de ser amigo do Auggie o fez surtar e se tornar violento. Que maluquice! Claro que nada disso era verdade e quase todo mundo sabia, mas isso não impediu Julian de espalhar a mentira.

E agora todos os meninos estão nessa guerra. Foi assim que começou. E é tão *idiota!*

Como me mantive neutra

Sei que as pessoas dizem que sou muito certinha. Não sei por que falam isso. Porque *não* sou tão certinha assim. Mas também não sou o tipo de pessoa que vai ser má com *alguém* só porque *outro alguém* disse que eu deveria ser. Odeio quando as pessoas fazem coisas assim.

Então, quando todos os garotos começaram a dar um gelo no Jack, e ele nem sabia por quê, achei que o mínimo que eu podia fazer era dizer a ele o que estava acontecendo. Quer dizer, conheço Jack desde que estávamos no jardim de infância. Ele é legal!

A questão é que eu não queria que ninguém me *visse* falando com ele. Algumas garotas, como as do grupinho da Savanna, começaram a tomar partido do Julian e dos amigos dele, e eu realmente desejava ficar neutra, porque não queria que nenhuma delas ficasse com raiva *de mim*. Eu ainda tinha esperança de que talvez, quem sabe, conseguisse entrar naquele grupo um dia. A última coisa que eu queria era fazer algo que arruinasse minhas chances com elas.

Então, um dia, antes do último tempo, passei um bilhetinho para o Jack, dizendo para ele me encontrar na sala 301 depois da aula. Ele foi. E então eu contei tudo o que estava acontecendo. Você tinha que ter visto a cara dele! Ficou vermelha como um pimentão! Sério! Pobrezinho! Nós dois concordamos que aquilo era uma *grande* idiotice! Realmente tive pena dele.

Então, quando terminamos de conversar, eu escapuli da sala sem que ninguém me visse.

Como eu queria contar a Ellie sobre a minha conversa com Jack Will

No almoço do dia seguinte, eu ia contar a Ellie que tinha conversado com Jack. Ellie e eu tivemos uma quedinha *secreta* pelo Jack Will no quarto ano, quando ele interpretou Artful Dodger em *Oliver!* e achamos que ele ficava lindo de cartola.

Fui até Ellie quando ela estava esvaziando a bandeja. Não nos sentamos mais juntas no almoço desde que ela se mudou para a mesa da Savanna, perto do Halloween. Mas eu ainda confiava nela. Éramos melhores amigas desde o primeiro ano! Isso conta muito!

— Oi — falei, cutucando-a com o ombro.

— Oi! — disse ela, me cutucando de volta.

— Por que você não foi ao coral ontem?

— Ah, não contei? — perguntou ela. — Troquei de eletiva quando voltamos do recesso. Agora estou na banda.

— Na *banda*? Sério?

— Estou tocando clarinete! — respondeu ela.

— Uau — exclamei, assentindo. — Legal.

Essa novidade foi muito surpreendente, por vários motivos.

— Mas e aí, o que você anda aprontando, Charly? Parece que mal a vejo desde que voltamos do recesso! — Ellie pegou meu pulso para conferir minha pulseira nova.

— Verdade, não é? — retruquei, embora não a tenha lembrado de que era porque ela tinha cancelado todas as vezes que planejamos nos encontrar depois da escola.

— Como vai o jogo de pontinhos da Maya?

Ellie se referia à obsessão de Maya em criar o maior jogo de pontinhos para jogar na hora do almoço. Nós meio que zoávamos isso pelas costas dela.

— Bem — respondi, sorrindo. — Eu queria conversar com você sobre essa coisa da guerra dos meninos. É tão boba, não é?

Ela revirou os olhos.

— Está totalmente fora de controle!

— Sim — concordei. — Eu meio que tenho pena do Jack. Você não acha que o Julian deveria dar logo um fim nisso?

Ellie começou a enrolar uma mecha de cabelo no dedo. Pegou uma caixa de suco no balcão e espetou o canudinho no buraco.

— Não sei, Charly — respondeu ela. — Foi o Jack que deu um soco *nele*. O Julian tem todo o direito de estar com raiva. — Ela tomou um grande gole. — Estou começando a achar que o Jack tem sérios problemas para controlar a raiva.

Espere aí. O quê? Eu conhecia Ellie desde sempre, e a Ellie que eu conheço jamais falaria "sérios problemas para controlar a raiva". Não que Ellie não seja inteligente, mas não é *tão* inteligente *assim*. *Sérios problemas para controlar a raiva?* Isso parecia algo que Ximena Chin diria, daquele jeito sarcástico dela. Desde que Ellie começou a andar com Ximena e Savanna, tem agido de forma cada vez mais estranha!

Espere aí! Acabei de lembrar uma coisa: Ximena toca clarinete! *Isso* explica por que Ellie mudou de eletiva! Agora tudo faz sentido!

— De todo modo — disse Ellie —, acho que não deveríamos nos envolver. É um problema dos meninos.

— É, pode ser — respondi, decidindo que seria melhor se eu não contasse a Ellie que tinha conversado com Jack.

— Está preparada para os testes de dança de hoje? — perguntou ela, alegre.

— Estou — respondi, fingindo animação. — Acho que a Sra. Atanabi vai...

— Pronta, Ellie? — perguntou Ximena Chin, que simplesmente surgiu do nada. Ela acenou na minha direção, sem nem mesmo olhar para a minha cara, e então se virou e se dirigiu à saída do refeitório.

Mesmo sem terminar o suco, Ellie jogou a caixinha no lixo, pôs a mochila no ombro direito de qualquer jeito e correu atrás da Ximena.

— Vejo você mais tarde, Charly! — murmurou quando já estava no meio do caminho.

— Até mais — respondi, vendo-a alcançar Ximena.

Juntas, as duas se reuniram com a Savanna e a Gretchen, uma aluna do sexto ano, que as esperavam na saída.

As quatro tinham mais ou menos a mesma altura, e todas tinham cabelos bem compridos, com cachos nas pontas. No entanto, as cores eram diferentes. O de Savanna era louro quase dourado. O de Ximena, preto. O de Gretchen era ruivo. E o de Ellie era castanho. De fato, às vezes eu me perguntava se Ellie não tinha entrado no grupo das populares por causa do cabelo, que tinha a cor e o comprimento certos para se encaixar.

Meu cabelo é louro-claro, e tão liso e reto que não haveria a menor chance de terminar em cachos sem grandes doses de laquê. E é curto. E eu sou baixinha.

Como usar diagramas de Venn (Parte 1)

Na aula de ciências da Sra. Rubin, aprendemos sobre diagramas de Venn. Os diagramas de Venn nos ajudam a visualizar as relações entre diferentes grupos. Tipo, se você quiser ver as características comuns a mamíferos, répteis e peixes, por exemplo, desenhe um diagrama de Venn e liste todos os atributos de cada um dentro de um círculo. Onde os círculos se interceptam fica o que eles têm em comum. No caso dos mamíferos, répteis e peixes, seria a espinha dorsal.

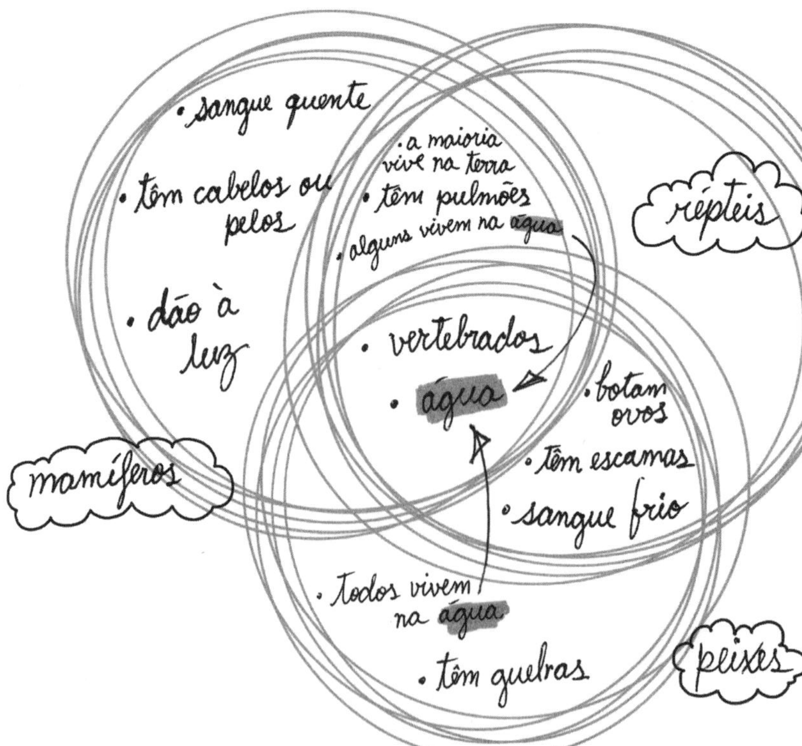

Enfim, adoro diagramas de Venn. São muito úteis para explicar muitas coisas. Às vezes eu os desenho para explicar as amizades.

Ellie e eu no primeiro ano.

Como você pode ver, Ellie e eu tínhamos muitas coisas em comum. Éramos amigas desde o primeiro dia do primeiro ano, quando a Srta. Diamond nos pôs na mesma mesa.

Eu me lembro muito bem daquele dia. Fiquei tentando falar com Ellie, mas ela era tímida e não queria conversar. Então, na hora do recreio, comecei a brincar de esqui de dedos em cima da mesa que dividíamos. Se você não sabe o que é isso, é quando você faz um V com os dedos e os desliza pela mesa lisa, como se fossem skatistas. Enfim, Ellie ficou me olhando fazer aquilo por um tempo e então começou a brincar de esqui de dedos também. Em pouco tempo, nós duas estávamos deslizando os dedos por toda a mesa. Depois disso, nos tornamos inseparáveis.

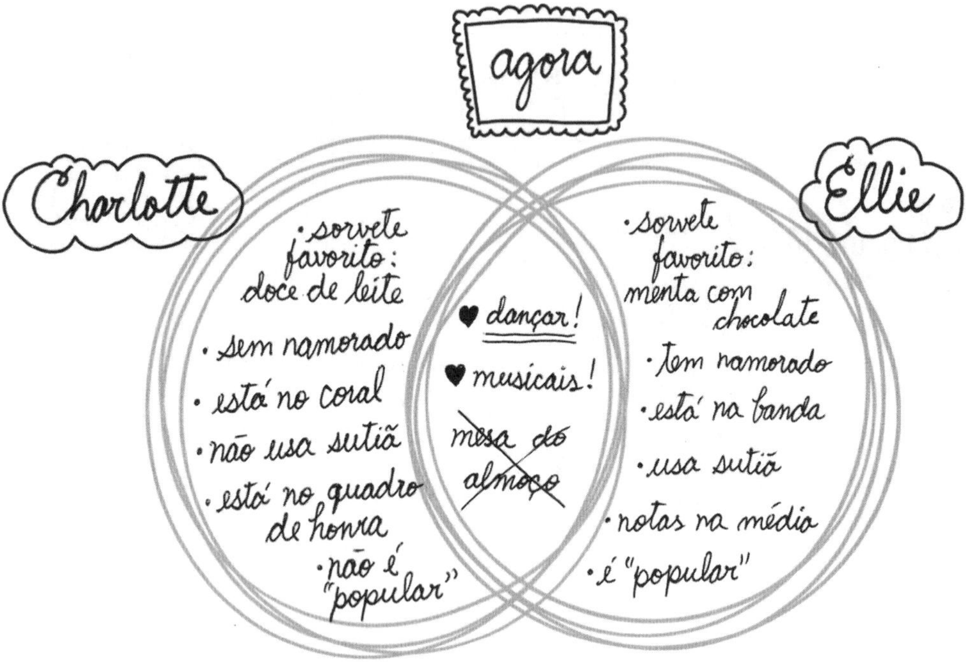

Ellie e eu agora.

Como continuei neutra

Ellie, Savanna e Ximena estavam conversando em frente aos armários do lado de fora do auditório quando eu apareci para os testes de dança depois da aula. Na mesma hora eu soube que estavam falando de mim.

— Você não está do lado *do Jack* na guerra dos meninos, está? — perguntou Savanna, fazendo cara de nojo.

Olhei para Ellie, que obviamente tinha contado parte da nossa conversa no almoço para Savanna e Ximena. Ela mordeu uma mecha de cabelo e desviou o olhar.

— Não estou do lado do Jack — falei, com calma. Abri meu armário e joguei a mochila lá dentro. — Só acho que toda essa história de guerra dos meninos é uma bobagem. *Todos* eles estão sendo uns idiotas.

— Sim, mas foi Jack que começou — disse Savanna. — Ou você acha que tudo bem ele ter dado um soco no Julian?

— Não, definitivamente não acho — respondi, pegando a roupa de dança.

— Então por que está do lado do Jack? — perguntou Savanna depressa, ainda com aquela cara de nojo.

— É porque você *gosta* dele? — provocou Ximena, com um sorriso travesso.

Ximena, que provavelmente não tinha trocado mais de trinta palavras comigo o ano inteiro, estava me perguntando se eu *gostava* do Jack?

— Não — respondi, mas senti minhas orelhas ficando vermelhas. Ergui os olhos para Ellie quando me sentei para calçar os sapatos de jazz. Ela estava enroscando outra mecha do cabelo, preparando-a para colocar na boca. Não acredito que ela contou às meninas sobre Jack! Que traidora!

Nesse momento, a Sra. Atanabi entrou na sala, batendo palmas para chamar a atenção de todas, do jeito exagerado de sempre.

— Ok, meninas, se ainda não puseram o nome na folha de testes, por favor, façam isso agora — falou, apontando para a prancheta na mesa a seu lado. Havia umas oito garotas na fila para assinar a lista. — E, se já se inscreveram, assumam suas posições e comecem a se alongar.

— Eu assino por você — disse Ximena para Savanna, caminhando até a mesa.

— Quer que eu assine para você, Charly? — perguntou Ellie. Eu sabia que era seu jeito de ver se eu estava chateada com ela. *E eu estava!*

— Já assinei — respondi, baixinho, sem olhar para ela.

— Claro que ela já assinou — comentou Savanna depressa, revirando os olhos. — Charlotte é *sempre* a primeira a assinar.

Como (e por que) eu adoro dançar

Faço aulas de dança desde que eu tinha quatro anos. Balé. Sapateado. Jazz. Não que eu queira ser primeira bailarina quando crescer, mas é que pretendo atuar na Broadway um dia. Para isso, preciso aprender a cantar, dançar e interpretar. E é por essa razão que eu me dedico tanto às aulas de dança. E de canto. Eu as levo muito a sério, porque sei que, um dia, quando eu tiver minha grande chance, estarei preparada. E por que estarei preparada? Porque terei trabalhado pesado para isso a vida toda! As pessoas acreditam que estrelas da Broadway surgem do nada — mas não é bem assim! Elas treinam até os pés doerem! Ensaiam como loucas! Se você quer ser uma estrela, tem que estar disposta a se dedicar mais do que todo mundo para atingir seus objetivos e sonhos! Eu acredito que um sonho é como um desenho em sua mente que vai ganhando vida. Você tem que imaginá-lo primeiro. Depois tem que trabalhar muito, muito pesado para torná-lo realidade.

Então, quando Savanna diz: "Charlotte é *sempre* a primeira a assinar", de certo modo isso é meio que um elogio, porque ela está dizendo "Charlotte está sempre preparada, e é por isso que sua dedicação dá resultados". Mas, quando ela diz, "Charlotte é *sempre* a primeira a assinar" com aquela cara de nojo, é mais como se estivesse dizendo "Charlotte só consegue o que quer porque é a primeira da fila". Ou pelo menos é assim que eu escuto. Como uma crítica.

Savanna é muito boa nesse tipo de crítica, tudo com os olhos e com os cantos da boca. É uma pena, porque ela não era assim. Na pré-escola, Savanna, Ellie, eu, Maya e Summer éramos todas amigas. Brincávamos juntas depois da aula. Fazíamos chá de bonecas. Foi só quando começamos o ensino fundamental — quando ela se tornou popular — que Savanna passou a ser menos legal do que era.

Como a Sra. Atanabi apresentou sua dança

— Muito bem, meninas — disse a Sra. Atanabi, batendo palmas e acenando para que nos aproximássemos dela —, todas na pista de dança, por favor! Em suas posições. Espalhem-se. Bem, hoje vamos fazer o seguinte: vou mostrar algumas danças diferentes dos anos 1960 que gostaria que vocês praticassem. O twist. O Hully Gully. E o mambo. Só essas três. Tudo bem?

Eu me posicionei atrás da Summer, que sorriu e acenou para mim do seu jeito fofo e alegre. Quando eu era pequena e ainda gostava de fadas, achava que Summer Dawson era igualzinha a uma fada. Para mim, ela deveria ter nascido com asas violeta.

— Desde quando você gosta de dança? — perguntei a ela, porque nunca a tinha visto em uma apresentação.

Summer deu de ombros, tímida.

— Comecei a fazer aulas no verão.

— Legal! — respondi com um sorriso encorajador.

— Sra. Atanabi? — Ximena levantou a mão. — Para quê é essa audição?

— Minha nossa! — exclamou a professora, batendo a mão na testa. — É claro. Eu me esqueci de contar a vocês o que estamos fazendo aqui.

Pessoalmente, sempre adorei a Sra. Atanabi — com seus vestidos longos e floridos, seus cachecóis e seu coque bagunçado. Adoro sua eterna aparência de alguém que acabou de chegar de uma longa viagem. Gosto disso. Mas muitas pessoas acham que ela é excêntrica e estranha. O jeito como ela joga a cabeça para trás quando ri. O modo como murmura consigo mesma às vezes. Alguns já disseram que ela é igualzinha à Sra. Puff, do *Bob Esponja*.

Eles a chamam pelas costas de Sra. Antanabi, o que eu acho uma maldade inacreditável.

— Me pediram que preparasse uma apresentação para o Baile de Gala Beneficente da Beecher Prep — ela começou a explicar. — É no meio de março. Não é uma apresentação para os outros alunos. É para os pais, para o corpo docente e ex-alunos. Mas é um grande evento. Este ano vai ser no Carnegie Hall!

A sala foi tomada por um burburinho, todas ficamos animadas.

A Sra. Atanabi riu.

— Achei mesmo que vocês fossem gostar! Estou adaptando um espetáculo que coreografei faz anos e que ganhou uma atenção considerável da mídia, se querem saber. Vai ser muito divertido. Mas vai exigir bastante trabalho! O que me faz lembrar: se vocês forem escolhidas para esse espetáculo, será necessário dedicar *muito* tempo a ele! Quero deixar isso claro desde o início, meninas. Noventa minutos de ensaio depois da aula, três vezes por semana, até março. Então, se não podem se comprometer, nem façam o teste. Ok?

— Mas e se eu tiver treino de futebol? — perguntou Ruby, no meio de um *plié*.

— Meninas, às vezes é preciso fazer escolhas — respondeu a Sra. Atanabi. — Vocês não podem ter treino de futebol *e* participar do espetáculo. Simples assim. Não quero ouvir desculpas sobre dever de casa, provas nem de qualquer outro tipo. Um único ensaio perdido já é muita coisa! Lembrem-se, vocês *não* precisam fazer isso para a escola! Vocês *não* têm que estar aqui. Não vão ganhar crédito extra. Se o interesse por dançar em um dos palcos mais famosos do mundo não é o suficiente para vocês, por favor, *não* façam o teste. — Ela esticou o braço e apontou para a saída. — Não vou levar para o lado pessoal.

Todas nos entreolhamos. Ruby e Jacqueline deram um sorriso sem graça para a Sra. Atanabi, acenaram e foram embora. Eu não podia acreditar que alguém faria isso! Desistir da oportunidade de dançar no Carnegie Hall? É tão famoso quanto a Broadway!

A professora não disse nada. Depois esfregou as têmporas, como se tentasse afastar uma dor de cabeça.

— Uma última coisa — falou. — Se não forem selecionadas para esta apresentação em particular, por favor, lembrem-se de que ainda temos o grande espetáculo de dança no show de variedades da primavera... e *todas* podem dançar nele. Então, se vocês não forem selecionadas, *não* façam suas mães me mandarem e-mails. Só tenho vaga para três garotas.

— Só *três?* — gritou Ellie, cobrindo a boca com a mão.

— Sim, *só* três — respondeu a Sra. Atanabi, soando exatamente como a Sra. Puff quando diz *Oh, Bob Esponja*.

Eu sabia o que Ellie estava pensando: *Por favor, que sejamos eu, Ximena e Savanna.*

Mas mesmo que ela desejasse isso, provavelmente sabia que não ia acontecer. A questão é: todo mundo sabe que Ximena é a melhor dançarina da escola. Ela foi selecionada para o curso intensivo da Escola Americana de Balé. Ela está *nesse* nível. Então era quase certo que Ximena conseguiria entrar.

E todo mundo sabe que Savanna foi uma das finalistas em dois campeonatos regionais no último ano e chegou perto de se classificar para o nacional — então havia uma boa chance de ela entrar também.

E todo mundo sabe que... Bem, sem querer me gabar, mas dança é a minha praia, e tenho um monte de troféus bem grandes na prateleira para provar isso.

E quanto a Ellie? Lamento, mas ela não está no mesmo nível de Ximena ou Savanna. Nem mesmo no meu. Claro, ela faz aulas de dança há muitos anos, mas sempre foi meio preguiçosa. Não sei, quem sabe se houvesse vaga para quatro garotas. Mas só com *três* ela não tem chance.

Não, me pareceu bem claro quando olhei a concorrência: as três finalistas seriam Ximena, Savanna... e eu! *Sinto muito, Ellie*!

E quem sabe, apenas *quem sabe*, essa fosse a minha chance de entrar no grupo delas de uma vez por todas. Ellie poderia voltar a ser minha melhor amiga. Savanna teria Ximena. Tudo daria certo.

Twist. Hully Gully. E mambo.

Entendido.

Como usar diagramas de Venn (parte 2)

No ensino fundamental, nem sempre o grupo com quem você se senta no refeitório é o seu grupo de amigos. Tipo, é bem possível — na verdade, é *provável!* — que você acabe se sentando no almoço com um bando de amigas — mas que não necessariamente são amigas da sua *amiga*. Você pode ter ido parar nessa mesa por vários motivos: talvez não houvesse espaço na mesa das garotas com quem você de fato gostaria de se sentar. Ou talvez você tenha ido parar num grupo de meninas que estavam na mesma aula que você antes do almoço. No meu caso, foi isso o que aconteceu. No primeiro dia de aula, Maya, Megan, Lina, Rand, Summer, Ellie e eu estávamos juntas na aula de matemática avançada da Srta. Petosa. Quando tocou o sinal do almoço, descemos as escadas correndo num grande grupo, sem saber exatamente como chegar ao refeitório. Quando enfim o encontramos, todas nos sentamos juntas a uma mesa. Era como se estivéssemos brincando de dança das cadeiras, com todo mundo tentando arrumar um lugar. Em cada mesa cabiam só seis alunos, mas nós sete nos apertamos e demos um jeito.

No início, achei que fosse a mesa mais legal do refeitório! Eu estava sentada entre Ellie, minha melhor amiga desde o primeiro ano, e Maya, minha outra melhor amiga desde a pré-escola. Estava bem de frente para Summer e Megan, e também conhecia as duas desde a pré-escola, mesmo que não fôssemos exatamente grandes amigas. *E* conhecia Lina do Acampamento de Verão da Beecher Prep. A única que eu não conhecia nem um pouco era Rand, mas ela parecia bem legal. Então, de modo geral, aquela era uma mesa incrível!

Mas aí, naquele primeiro dia mesmo, Summer saiu da nossa mesa para se sentar com Auggie Pullman. Foi chocante! Num segundo estávamos todas ali, falando dele, observando-o comer. Lina fez um comentário muito cruel que não vou repetir aqui. E, no instante seguinte, sem dizer nada a *ninguém*, Summer simplesmente pegou sua bandeja e foi até ele. Foi tão inesperado! Lembro que Lina parecia estar testemunhando um acidente de carro.

— Não fique olhando! — falei.

— Não acredito que ela está *comendo* com ele — sussurrou Lina, horrorizada.

— Não é *nada* de mais — argumentei, revirando os olhos.

— Então por que *você* não está lá, almoçando com ele? — rebateu ela. — Você não é do comitê de boas-vindas?

— Isso não significa que tenho que me sentar com ele no almoço — respondi depressa, me arrependendo de ter contado a quem quer que fosse que o Sr. Buzanfa tinha me escolhido para dar as boas-vindas a Auggie. Sim, era uma honra ele ter me convidado, junto com Julian e Jack, mas eu não queria ninguém jogando isso na minha cara!

No refeitório inteiro, as pessoas estavam fazendo exatamente a mesma coisa que nós: olhando Auggie e Summer almoçarem juntos. Fazia poucas horas que as aulas tinham começado e as pessoas já estavam chamando-o de *Garoto Zumbi* e *Monstro*.

A Bela e a Fera. Era o que sussurravam sobre Summer e Auggie.

Não tinha a menor chance de eu deixar que ficassem colocando apelidos em mim pelas costas também!

— Além disso — falei para Lina, comendo uma garfada da minha salada Caesar —, eu *gosto* desta mesa. Não quero trocar.

E era verdade! Eu *gostava* daquela mesa!

Pelo menos, no começo.

Mas então, quando passei a conhecer as meninas um pouco melhor, percebi que talvez não tivéssemos tanta coisa em comum quanto eu gostaria. Lina, Megan e Rand adoravam esportes (Maya jogava futebol, mas só isso). Então havia todo aquele mundo de partidas de futebol, treinos de natação e não sei mais quantos jogos sobre os quais Ellie e eu não conseguíamos conversar com elas. Além disso, todas tinham decidido entrar para a orquestra, enquanto Ellie e eu havíamos escolhido o coral. E, por último, elas simplesmente não se interessavam por um monte de coisas de que *nós* gostávamos! Não viam *The Voice* nem *American Idol*. Não ligavam para astros de cinema e filmes antigos. Nunca nem tinham visto *Os miseráveis*, pelo amor de Deus! Quer dizer, como eu poderia ter uma amizade séria com alguém que não tinha o menor interesse por *Os miseráveis*?

Mas desde que eu tivesse Ellie para conversar, e Maya ali para completar o grupo, estava tudo ótimo para mim. Nós três conversaríamos sobre o que *nós* quiséssemos do nosso lado da mesa, e Megan, Lina e Rand falariam das coisas que *elas* quisessem do lado delas. E todas nos reuniríamos para falar dos assuntos em comum — trabalhos, dever de casa, professores, testes, a comida ruim do refeitório.

E era por isso que tudo ia bem. Até Ellie também trocar de mesa!

E agora sou só eu. E Maya.

Maya, com quem só era legal conversar quando Ellie estava por perto. Ou se você quisesse jogar um emocionante jogo de pontinhos.

Sabe, não estou zangada com Ellie por ela ter trocado de mesa. Honestamente, *não* a culpo. Desde que ouvimos dizer que Amos estava a fim dela, foi como se Ellie tivesse ganhado um passe livre para o grupo das populares. Savanna a convidou para se sentar com elas no almoço e depois deu um jeito para que Amos e Ellie se sentassem lado a lado. Foi assim que todos os "casais" se formaram. Miles e Ximena. Henry e Savanna. E, agora, Amos e Ellie. Em pares arranjados. Os garotos e as garotas populares. Era natural que todos eles ficassem juntos. Ninguém mais no nosso ano está namorando, nem *perto* disso! Sei que as garotas da *minha* mesa ainda agem como se os meninos tivessem piolhos! E, pelo que eu percebo, a maioria dos meninos age como se as meninas não existissem.

Então, sim, entendi muito bem por que Ellie trocou de mesa. De verdade. E, ao contrário de Maya, não estou megachateada com ela. É difícil quando se é convidada para uma mesa melhor. Meio que não tem volta.

Tudo o que posso fazer é sentar e esperar, conversar com Maya e desejar que um dia Savanna me chame para sentar à mesa das populares também.

Enquanto isso, desenho diagramas de Venn. E ligo muitos e muitos pontos.

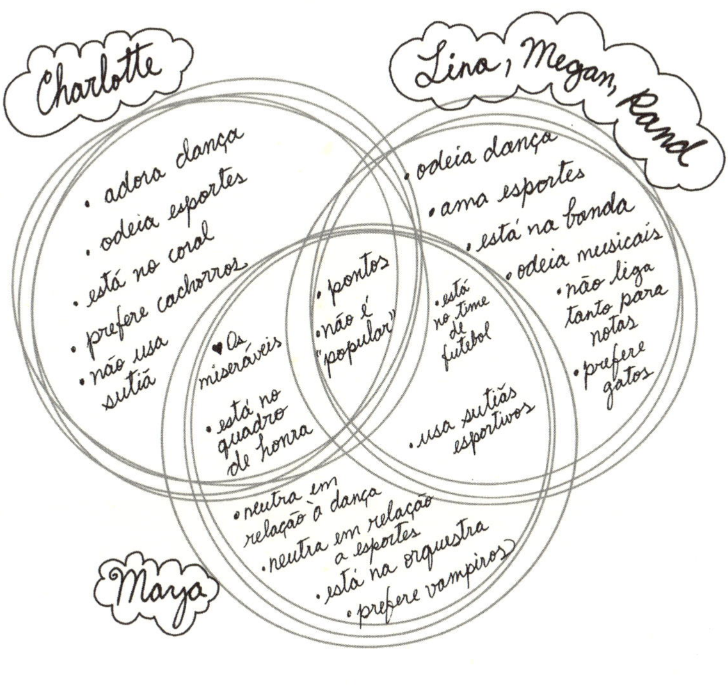

Como um novo subgrupo se formou

No dia seguinte, logo antes do almoço, este bilhete estava preso no quadro de avisos do lado de fora da biblioteca:

Parabéns às garotas listadas abaixo! Vocês foram escolhidas para participar da apresentação dos anos 1960 da Sra. Atanabi. Postei um calendário de ensaios no site. Marquem em suas agendas! Nada de faltas. Sem desculpas. Nosso primeiro ensaio é amanhã, às 16h, no auditório. NÃO OUSEM SE ATRASAR! — Sra. Atanabi

Ximena Chin
Charlotte Cody
Summer Dawson

Ai, meu Deus, eu passei! Eba!!!!!! Fiquei tão feliz quando li meu nome na lista! Radiante! Em êxtase! Uhuuu!!

Então éramos eu, Ximena e... Summer?

O quê?!?!?!? *Summer*? Isso era uma surpresa! Eu tinha tanta certeza de que seria Savanna! Quer dizer, Summer tinha acabado de entrar para a aula de dança! Ela derrotou mesmo a Savanna?

Nossa, eu podia imaginar como Savanna devia estar furiosa com isso. Aposto que fez aquela cara de nojo quando viu a lista! E Ellie? Na verdade, acho que Ellie ficou meio aliviada. Acompanhar Ximena e Savanna seria difícil para ela, e Ellie nunca foi assim *tão* apaixonada por dança. Eu meio que sempre achei que ela só gostasse porque *eu* gostava. Fiquei feliz que as coisas tivessem funcionado desse jeito. Quer dizer, mesmo agindo dessa forma, ela ainda é *minha* BFF.

E eu estava feliz por mim também! Porque, embora torcesse para ficar um pouco mais perto do grupo da Savanna, também estava um pouco estressada imaginando se Savanna e Ximena se juntariam para me dar um gelo.

Mas ter Summer no grupo com Ximena? Ia ser incrível! Talvez a combinação da gentileza da Summer com a minha fizesse Ximena se tornar uma de nós. No mínimo, a impediria de ser a garota cruel que todos parecem achar que ela é. Não que eu a ache cruel. Na verdade, mal a conheço! Enfim, ter Summer como a terceira garota na apresentação me deixou muito feliz. Quase não consegui parar de sorrir o dia todo.

Como eu vi Savanna

No almoço, eu me espremi entre Maya e Rand, que estavam debruçadas sobre mais um dos gigantes jogos de pontos de Maya. Eles estavam ficando cada vez mais elaborados.

— E aí! — falei, alegre. — Boas notícias, meninas! Fui escolhida para a apresentação de dança dos anos 1960 da Sra. Atanabi, no baile beneficente de março! Uhuuu!!

— Uhuuu! — respondeu Maya, sem tirar os olhos do jogo de pontos. — Que ótimo, Charlotte.

— Uhuuu — repetiu Rand. — Parabéns!

— Summer também entrou.

— Ah, legal para ela — disse Maya. — Gosto da Summer. Ela é sempre tão fofa.

Rand, que estava marcando com sua inicial uma série de quadrados que havia acabado de completar, sorriu para Maya.

— Quinze! — falou.

— Argh! — resmungou Maya, trincando os dentes. Ela tinha colocado aparelho havia poucos dias e estava fazendo vários movimentos estranhos com a boca desde então.

Com um peteleco, joguei minha borracha nelas.

— Sem dúvida vocês estão no meio de uma partida bem intensa — falei, em tom sarcástico.

— Rá-rá! — disse Maya, me batendo com o ombro. — Foi tão engraçado que me esqueci de rir.

— A mesa das garotas más está toda olhando para você — informou Rand.

— O quê? — perguntei. Maya e eu nos viramos na direção em que ela estava olhando.

Mas Savanna, Ximena, Gretchen e Ellie desviaram o olhar na hora.

— Elas *com certeza* estavam falando de você! — afirmou Maya, lançando para elas seu olhar mais sinistro por trás dos óculos de armação preta.

— Pare com isso, Maya — pedi.

— Por quê? Não me importo — respondeu ela. — Deixe que elas me vejam.

E então mostrou os dentes para elas como um tipo de furão louco.

— Pare de olhar para elas, Maya! — sussurrei, entredentes.

— Está bem.

Maya voltou a jogar seu jogo de pontos colossal com Rand, e eu me concentrei em comer meu ravióli. Em determinado momento, senti os olhos de alguém fuzilando minhas costas, então me virei para dar mais uma espiada na mesa da Savanna. Dessa vez, Ximena, Gretchen e Ellie estavam conversando, completamente alheias a mim. Mas Savanna estava me encarando! E não desviou quando nossos olhares se encontraram. Apenas ficou me encarando. Então, antes de enfim desistir, ela me deu língua. Foi tão rápido que ninguém mais poderia ter visto. E pareceu tão infantil que me recusei a acreditar!

Foi aí que me dei conta de que eu tinha me enganado antes, sobre Summer ter ficado com a terceira vaga no espetáculo da Sra. Atanabi. Eu tinha pensado que aquela vaga deveria ter sido da Savanna, *não* da Summer. Mas, para Savanna, não foi Summer que roubou o lugar dela. Fui *eu*! "Charlotte é *sempre* a primeira a assinar", ela tinha dito.

Savanna *me* culpava por tirar o lugar que lhe era de direito na apresentação!

Como escapamos de um início constrangedor

Durante o dia seguinte, a ameaça de uma nevasca deixou todos meio tontos e inseguros, pois havia rumores de que a escola ia fechar cedo se nevasse tanto quanto a meteorologia previra. Por sorte — pois a última coisa que eu queria no mundo era que nosso primeiro ensaio fosse cancelado! —, a neve só começou a cair no fim da tarde. E nem um pouco forte. Então, depois do último sinal, fui para o auditório o mais depressa possível. Como a Sra. Atanabi tinha feito várias ameaças sobre atrasos, não fiquei surpresa que tanto Summer quanto Ximena também já estivessem lá.

Nós nos cumprimentamos antes de vestir nossas roupas de dança. Foi meio constrangedor no começo, eu acho. Nós nem andávamos juntas. Éramos de grupos diferentes, nossa própria versão do diagrama de Venn com mamíferos, répteis e peixes. Summer e eu só tínhamos uma aula em comum. E, como falei antes, eu *mal* conhecia Ximena. A conversa mais longa que tivemos havia sido em dezembro, na aula da Srta. Rubin, quando ela me perguntou — sem um pingo de remorso — se eu me importaria de trocar de dupla, para que ela ficasse com Savanna. E foi assim que acabei tendo Remo como meu parceiro no projeto da feira de ciências, mas isso é outra história que não vale a pena contar.

Começamos a fazer aquecimento e alongamento para passar o tempo. A Sra. Atanabi estava quase meia hora atrasada!

— Vocês acham que vai ser sempre assim? — perguntou Ximena, no meio de um *battement*. — A Sra. Atanabi vai sempre se atrasar?

— Ela *nunca* chega na hora para a aula de teatro — falei, balançando a cabeça.

— Não é? — concordou Ximena. — É disso que tenho medo.

— Talvez ela apenas tenha ficado presa por causa da neve — sugeriu Summer, esperançosa. — Acho que está começando a nevar bem forte agora.

Ximena fez uma careta.

— É, talvez ela precise de um trenó — respondeu, depressa.

— Rá, rá, rá. — Dei risada.

Mas sabia que tinha soado boba.

Por favor, Deus, por favor, não permita que eu pareça boba na frente de Ximena Chin.

A verdade é que Ximena Chin me deixava um pouco nervosa. Não sei exatamente por quê. O caso é que ela era *tão* descolada, *tão* bonita, e tudo nela era *tão* perfeito. O modo como enrolava o cachecol. O modo como ficava bem de jeans. O modo como prendia o cabelo depressa num nó perfeito. Tudo era perfeito!

Eu lembro que, no momento em que Ximena entrou na Beecher Prep, nesse ano, *todo mundo* quis ser amigo dela. Inclusive eu! Tenho certeza de que ela não se lembra disso, mas fui eu que a ajudei a encontrar seu armário no primeiro dia de aula. Fui eu que emprestei um lápis para ela no terceiro tempo (que, por falar nisso, ela nunca devolveu). Mas foi Savanna que se tornou sua melhor amiga. Savanna conseguiu colar nela no primeiro nanossegundo de aula. E aí, esqueça. Foi como o Big Bang das amizades. Simplesmente explodiu num universo instantâneo de olhares cúmplices, risadinhas, roupas e segredos compartilhados.

Não havia a menor chance de se aproximar de Ximena depois disso. A verdade é que ela não fez mesmo muito esforço para se abrir para além do grupo de Savanna. Talvez sentisse que não precisava. As pessoas diziam que ela era meio metida.

Tudo o que eu realmente sabia é que ela tinha o alongamento mais impressionante que eu já tinha visto, as notas mais altas do nosso ano e era mal-humorada. O que significa que ela fazia muitos "comentários" pelas costas. Havia muitas pessoas — como Maya — que não a suportavam. Mas eu mal podia esperar para conhecê-la melhor. Para ser amiga dela, talvez! Para rir de suas tiradas sarcásticas. Mais do que tudo, porém, eu só queria mesmo, mesmo, *mesmo* que ela gostasse de mim!

— Espero que tudo isso valha a perda de tempo — comentou Ximena. — Quer dizer, temos tantas outras coisas para fazer esse mês! E aquele projeto da feira de ciências?

— Nem comecei o meu — falou Summer.

— Nem eu! — emendei, embora fosse uma completa mentira. Remo e eu tínhamos terminado nosso diorama de uma célula na primeira semana depois das férias de inverno.

— Só quero ter certeza de que vamos ter tempo de ensaio suficiente para essa apresentação — disse Ximena, olhando o celular. — Não quero estar no palco do *Carnegie Hall* parecendo uma *completa* idiota porque não ensaiamos o bastante... tudo porque a Sra. Atanabi é excêntrica demais para chegar na hora.

— Sabem — comecei, em tom casual —, se por acaso precisarmos de um lugar para ensaiar fora da escola, vocês podem ir até minha casa. Tenho uma parede espelhada e uma barra no porão. Minha mãe dava aulas de balé lá.

— Eu me lembro do seu porão! — disse Summer, alegre. — Você fez aquela festa de aniversário de fadinha uma vez!

— Foi no segundo ano — respondi, um pouco constrangida por ela ter mencionado fadas na frente de Ximena.

— Você mora longe daqui? — perguntou Ximena, enquanto rolava suas mensagens.

— Só dez quadras.

— Ok, me passe seu endereço por mensagem — disse ela.

— Claro! — falei, pegando meu telefone e pensando *Vou mandar meu endereço por mensagem para Ximena, como a grande boba que sou.* — Humm, desculpe, qual é o seu número?

Ela não tirou os olhos do telefone, mas estendeu a mão na frente do meu rosto, como um guarda de trânsito. Ali, escrito na vertical na lateral de sua mão, em azul-escuro e letras de forma perfeitas, estava o número de seu telefone. Digitei o número nos meus contatos e mandei meu endereço por mensagem.

— Sabem — falei, enquanto escrevia —, vocês podem ir amanhã depois da aula, se quiserem. Então podemos começar a ensaiar.

— Ok — murmurou Ximena casualmente, o que quase me fez engasgar. *Ximena Chin vai à minha casa amanhã!*

— Ah, na verdade eu *não posso* — disse Summer, estreitando os olhos num pedido de desculpas. — Vou sair com Auggie amanhã.

— Que tal na sexta, então? — sugeri.

— Não dá — respondeu Ximena. Agora ela tinha terminado de digitar e ergueu os olhos.

— Então na outra semana?

— Vamos encontrar outra oportunidade — disse Ximena, indiferente. Ela começou a passar os dedos pelos cabelos. — Esqueci que você era amiga do monstro — falou para Summer, sorrindo. — Como é isso?

Acho que ela nem estava tentando ser cruel quando disse aquilo. Simplesmente era assim que muitas pessoas automaticamente se referiam a Auggie Pullman.

Olhei para Summer. *Não diga nada*, pensei.

Mas eu sabia que ela diria.

Como ninguém fica irritado com a fadinha

Summer suspirou.

— Você poderia, por favor, não chamá-lo assim? — pediu ela, quase timidamente.

Ximena agiu como se não tivesse entendido.

— Por quê? Ele não está aqui — replicou, prendendo o cabelo num rabo de cavalo. — É só um apelido.

— É um apelido horrível — respondeu Summer. — Faz com que eu me sinta mal.

Este é o segredo de Summer Dawson: ela tem esse jeito que lhe permite dizer coisas assim, e as pessoas parecem não se importar. Se eu tivesse dito aquilo? Esqueça, as pessoas cairiam em cima de mim me chamando de certinha! Mas quando a fadinha diz, com suas sobrancelhinhas fofas arqueadas como sorrisos em sua testa, não soa como lição de moral. Ela só parece doce.

— Ah, tudo bem, sinto muito — retrucou Ximena, de olhos arregalados, se desculpando. — Não foi minha intenção ser cruel, Summer. Mas não vou voltar a chamá-lo assim, prometo.

Ela parecia estar realmente arrependida, mas havia algo em sua expressão que sempre fazia a gente se perguntar se estava mesmo sendo sincera. Acho que tinha a ver com a covinha em sua bochecha esquerda. Ela quase não podia evitar parecer travessa.

Summer olhou para ela com ar de dúvida.

— Tudo bem.

— Sinto muito mesmo — insistiu Ximena, quase como se tentasse sumir com a covinha.

Dessa vez, Summer sorriu.

— Está tudo bem, de verdade.

— Já falei uma vez e vou repetir — começou Ximena, apertando Summer de leve. — Você é mesmo uma santa, Summer.

Por um segundo, senti uma pontada de ciúme por Ximena parecer gostar tanto assim da Summer.

— Eu *também* acho que ninguém deveria chamá-lo de monstro — falei, sem pensar.

Bem, tenho que parar e dizer algo em minha defesa — NÃO FAÇO IDEIA DO QUE ME FEZ FALAR AQUILO! Literalmente saiu, aquela sequência idiota de palavras jorrando da minha boca feito vômito! Na mesma hora eu soube que aquilo tinha me feito parecer ridícula.

— Então *você* nunca o chamou assim — comentou Ximena, erguendo uma das sobrancelhas.

Pela forma como olhava para mim, parecia que estava me desafiando a piscar.

— Eu, hum... — murmurei.

Senti minhas orelhas ficarem vermelhas.

Não, desculpe ter dito isso. Não me odeie, Ximena Chin!

— Me responda uma coisa — disse ela, depressa. — Você sairia com ele?

Isso foi tão inesperado que eu quase não soube o que dizer.

— O quê? Não! — respondi, imediatamente.

— Exato — disse ela, como se tivesse provado seu argumento.

— Mas não por causa da aparência dele — falei, envergonhada. — É só porque não temos nada em comum!

— Ah, qual é? — Ximena riu. — Claro que isso *não* é verdade.

Eu não sabia aonde ela queria chegar.

— *Você* sairia com ele? — perguntei.

— É claro que não — respondeu ela, calma. — Mas não sou hipócrita em relação a isso.

Me virei para Summer, que me lançou um olhar de *ui, essa doeu.*

— Ei, não quero ser cruel — continuou Ximena, sendo bem direta. — Mas quando você diz *Ah, eu nunca o chamaria de monstro,* está me fazendo parecer uma completa babaca, é óbvio, porque acabei de chamá-lo assim, e isso é meio irritante, porque todo mundo sabe que o Sr. Buzanfa *pediu* para você fazer parte do grupo de boas-vindas a ele e é *por isso* que você não o chama de monstro como o resto de nós. Summer ficou amiga dele sem que ninguém a obrigasse, e por isso ela é uma santa.

— Não sou santa. — Summer se intrometeu depressa. — E não acho que Charlotte o chamaria assim, mesmo se o Sr. Buzanfa não tivesse pedido que ela fosse do comitê de boas-vindas.

— Viu? Você está sendo uma santa agora mesmo — disse Ximena.

— Eu acho que não o chamaria de monstro mesmo — falei, baixinho.

Ximena cruzou os braços. Estava me encarando com um sorriso sabichão.

— Sabe, você é mais legal com ele quando está na frente dos professores — afirmou ela, muito séria. — Já notaram.

Antes que eu pudesse responder — não que eu ao menos *soubesse* o que responder —, a Sra. Atanabi irrompeu pelas portas duplas no fim do auditório.

— Desculpem o atraso, desculpem! — anunciou, ofegante, coberta de neve.

Ela parecia um pequeno boneco de neve enquanto descia as escadas carregando quatro sacolas ridiculamente cheias.

Ximena e Summer subiram as escadas correndo para ajudá-la, mas eu me virei e fui para o corredor. Fingi que ia ao bebedouro, mas o que precisava mesmo era de um pouco de ar. Ar frio. Porque eu sentia minhas bochechas queimando, como se estivessem pegando fogo. Parecia que eu tinha acabado de levar um tapa na cara. Pela janela, pude ver que nevava muito naquele momento, e parte de mim simplesmente teve vontade de correr lá para fora e esquiar para longe.

Era assim que as *outras* pessoas me viam? Como se eu fosse essa hipócrita falsa ou algo do tipo? Ou era só a Ximena sendo aquela garota implicante de sempre?

Você é mais legal com ele quando está na frente dos professores. Já notaram.

É verdade? Notaram? Quer dizer, houve alguma vez em que fui especialmente legal com Auggie Pullman porque sabia que chegaria aos ouvidos do Sr. Buzanfa que eu estava fazendo jus ao comitê de boas-vindas? Talvez. Não sei!

Mas, mesmo que fosse o caso, pelo menos posso dizer que *fui* legal com ele! Isso é mais do que a maioria das pessoas pode dizer! Mais do que Ximena pode dizer! Eu ainda me lembro daquela vez em que ela fez par com Auggie na aula de dança e ficou com cara de quem ia vomitar. Eu nunca fiz nada disso com Auggie!

Ok, então talvez eu *seja* um pouco mais legal com ele quando os professores estão por perto. Isso é *tão* terrível?

Já notaram? O que isso quer dizer? *Quem* notou? Savanna? Ellie? É isso que elas dizem de mim? Era disso que estavam falando no refeitório ontem, quando sem dúvida falavam de mim, a ponto de até Maya — que às vezes não tem a menor noção de relações sociais — ficar com pena de mim?

E todo esse tempo eu presumia que Ximena Chin nem soubesse quem eu era! E agora descubro que *fui notada*. Mais do que gostaria de ter sido.

Como recebi a primeira surpresa do dia

Voltei para o auditório quando a Sra. Atanabi estava terminando de se desenrolar das camadas de suas roupas de inverno. O casaco, o cachecol e o suéter estavam espalhados pelo chão, molhado da neve que ela tinha trazido para dentro.

— Ai, meu Deus, ai, meu Deus! — repetia, abanando-se com as duas mãos. — Está começando a nevar forte agora.

Ela se deixou cair no banco do piano na frente do palco e recuperou o fôlego.

— Ai, meu Deus, detesto me atrasar!

Percebi Ximena e Summer trocando olhares conspiratórios.

— Quando eu era pequena — continuou a Sra. Atanabi, falando daquele jeito tagarela dela que algumas pessoas adoravam e outras achavam maluquice —, minha mãe costumava cobrar de mim e da minha irmã um dólar *toda* vez que a gente se atrasava para alguma coisa. Literalmente, toda vez que eu me atrasava, mesmo que fosse só para o jantar, tinha que pagar um dólar para minha mãe! — Ela riu e começou a ajeitar o coque, segurando alguns grampos entre os dentes enquanto falava. — Quando só se ganha três dólares para a semana inteira, você aprende a gerenciar o tempo! Foi desse jeito que me acostumei a *detestar* atrasos!

— E mesmo assim — ressaltou Ximena, sorrindo com aquele jeitinho dissimulado — a senhora se atrasou hoje. Será que devemos cobrar um dólar de agora em diante?

— Rá, rá, rá! — A Sra. Atanabi riu com vontade, chutando as botas. — Sim, eu me atrasei, Ximena! E no fundo não é uma má ideia. Talvez eu *devesse* dar um dólar a cada uma de vocês!

Ximena meio que riu, supondo que ela estivesse brincando.

— Na verdade — continuou a Sra. Atanabi, pegando a carteira —, acho que vou dar um dólar a *cada* uma de vocês *sempre* que me atrasar para um ensaio. De hoje em diante! Isso vai me obrigar a chegar na hora!

Summer me lançou um olhar confuso. Quando a Sra. Atanabi pegou a carteira, começamos a perceber que ela estava falando sério.

— Ah, não, Sra. Atanabi — disse Summer, balançando a cabeça. — A senhora não tem que fazer isso.

— Eu sei! Mas vou fazer! — respondeu ela, sorrindo. — Mas com uma condição. Concordo em dar a cada uma de vocês um dólar sempre que *eu* me atrasar para um ensaio se também concordarem em me dar um dólar sempre que *vocês* se atrasarem.

— Você pode fazer isso? — perguntou Ximena, incrédula. — Aceitar dinheiro das alunas?

Eu estava pensando a mesma coisa.

— Por que não? Vocês estudam numa escola particular. Podem pagar! *Provavelmente mais do que eu.* — Essa última parte foi murmurada. E então ela começou a gargalhar.

A Sra. Atanabi era meio famosa por rir das próprias piadas. Era preciso se acostumar com isso.

Ela pegou da carteira três notas novinhas de um dólar e as ergueu para que nós víssemos.

— Então, meninas, o que acham? Acordo fechado?

Ximena olhou para nós duas.

— Sei que *eu* nunca vou me atrasar — disse para a gente.

— Eu também não vou me atrasar! — afirmou Summer.

Dei de ombros, ainda incapaz de encarar Ximena.

— Nem eu — falei.

— Então, acordo fechado! — disse a Sra. Atanabi, se aproximando da gente.

— Para você, *mademoiselle* — falou para Ximena, lhe entregando uma nota novinha em folha.

— *Merci!* — agradeceu ela, dando um sorriso rápido para nós, mas eu fingi que não vi.

Depois a Sra. Atanabi caminhou até Summer e eu.

— Para você e para você — falou, entregando uma nota para cada.

— Deus abençoe a América — respondemos ao mesmo tempo.

Espere aí. O quê?

Nós nos encaramos, de boca aberta e olhos arregalados. De repente, tudo o que tinha acontecido na última meia hora parecia ter perdido a importância — se o que eu *achava* que tinha acontecido *tivesse* mesmo acontecido.

— O homem do acordeão? — sussurrei, animada.

Summer engasgou e assentiu, alegre.

— O homem do acordeão!

Como fomos para Nárnia

É estranho como você pode conhecer uma pessoa a vida toda sem *realmente* conhecê-la. Todo esse tempo eu tenho vivido num mundo paralelo ao de Summer Dawson, uma garota gentil que conheço desde o jardim de infância e que sempre achei que parecia uma fada. Mas nunca viramos *amigas* de verdade! Por nenhuma razão em particular. Apenas foi assim. Do mesmo jeito que Ellie e eu fomos *destinadas* a ser amigas porque a Srta. Diamond nos colocou juntas no primeiro dia de aula, Summer e eu fomos *destinadas* a não nos conhecermos porque nunca fizemos as mesmas aulas. A não ser na educação física e natação, banda, concertos e coisas assim, nossos caminhos nunca se cruzaram no colégio. Nossas mães não eram amigas, então nunca fomos brincar juntas. Sim, eu a convidei para minha festa de fadinha uma vez. Mas na verdade foi porque Ellie e eu achávamos que ela parecia uma fada! E, claro, nos encontramos algumas vezes em festas do pijama de outras pessoas ou no boliche e coisas assim. Éramos amigas no Facebook. Tínhamos vários amigos em comum. Sim, éramos *colegas*.

Mas nunca fomos *amigas* de verdade.

Então, quando ela disse "Deus abençoe a América", foi como se eu a estivesse encontrando pela primeira vez na vida. Imagine descobrir que existe outra pessoa no mundo que sabe um segredo que só você sabia! Foi como se uma ponte invisível tivesse sido instantaneamente construída entre nós. Ou como se tivéssemos esbarrado numa porta minúscula nos fundos de um guarda-roupa e um fauno tocando acordeão tivesse nos dado as boas-vindas a Nárnia.

Como recebi a segunda surpresa do dia

Antes que Summer e eu pudéssemos dizer qualquer outra coisa a respeito do homem do acordeão, a Sra. Atanabi esfregou as mãos e disse que era hora de colocar a "mão na massa". Passamos a meia hora de ensaio que restava ouvindo a Sra. Atanabi nos passar um resumo rápido da apresentação, enquanto, de tempos em tempos, ela olhava o aplicativo do clima em seu telefone. Não chegamos a dançar de fato: apenas uns passos básicos, e fizemos algumas marcações no palco.

— Vamos começar mesmo no próximo ensaio! — ela nos garantiu. — Prometo que não vou me atrasar! Vejo vocês na sexta-feira! Se agasalhem! Cuidado ao voltarem para casa!

— Tchau, Sra. Atanabi.

— Tchau!

Assim que ela saiu, Summer e eu nos aproximamos como ímãs, falando ao mesmo tempo, animadas.

— Não acredito que você sabe de quem estou falando — comentei.

— Deus abençoe a América! — retrucou ela.

— Você tem ideia do que aconteceu com ele?

— Não! Até saí perguntando pelos arredores.

— Eu também! Ninguém sabe.

— É como se ele tivesse sumido da face da Terra!

— *Quem* sumiu da face da Terra? — perguntou Ximena, toda curiosa, olhando para a gente. Acho que, pela nossa bagunça e pelos gritinhos, parecia que algo importante tinha *acabado* de acontecer.

Eu meio que ainda estava tentando dar um gelo nela por causa do que tinha acontecido antes, então deixei Summer responder.

— Aquele senhor que tocava acordeão na Main Street. Na frente do A&P, em Moore, sabe? Um que estava sempre lá com seu cão-guia... Tenho certeza de que você já viu. Sempre que a gente deixava dinheiro no estojo do acordeão, ele dizia: "Deus abençoe a América."

— Deus abençoe a América — falei ao mesmo tempo.

— Enfim — continuou Summer —, ele estava lá desde *sempre*, mas faz alguns meses que simplesmente sumiu.

— E ninguém sabe o que aconteceu com ele! — acrescentei. — É tipo um *mistério*.

— Espera aí, então é de um *mendigo* que vocês estão falando? — perguntou Ximena, meio que fazendo a mesma cara de nojo que Savanna faz às vezes.

— Na verdade não sei se Gordy é mendigo — respondeu Summer.

— Você sabe o nome dele? — perguntei, completamente surpresa.

— Sei — respondeu ela, sem rodeios. — Gordy Johnson.

— Como você sabe disso?

— Sei lá. Meu pai conversava com ele — disse ela, dando de ombros. — Ele era veterano de guerra, e meu pai era militar e sempre dizia *Aquele senhor é um herói, Summer. Ele serviu ao país.* Às vezes nós levávamos café e bagel para ele a caminho da escola. Minha mãe deu a parca que era do meu pai pra ele.

— Espera, era uma laranja da Canada Goose? — perguntei, apontando para ela.

— Era! — respondeu Summer, alegre.

— Eu me lembro! — gritei, segurando as mãos dela.

— Meu Deus, vocês duas estão surtando — zombou Ximena. — Tudo isso por causa de um mendigo com uma parca cor de laranja?

Summer e eu nos entreolhamos.

— É difícil explicar — disse Summer. Mas eu sabia que ela sentia o mesmo: nossa conexão por causa daquilo. Nosso laço. Era nossa versão do Big Bang.

— Ai, meu Deus, Summer! — exclamei, apertando o braço dela. — Talvez a gente possa encontrá-lo! Podemos descobrir onde ele está e ver se está tudo bem! Se você sabe o nome dele, acho que a gente consegue achá-lo!

— Será? — perguntou Summer, os olhos dançando como sempre faziam quando ela estava superfeliz. — Eu ia *adorar*!

— Ei, ei, ei — interrompeu Ximena, balançando a cabeça. — Vocês estão falando sério? Querem ir atrás de um mendigo que mal conhecem? — Ela agia como se não acreditasse no que estava ouvindo.

— Sim — dissemos, olhando uma para a outra com alegria.

— Que mal conhece *vocês*?

— Ele vai me reconhecer! — afirmou Summer, confiante. — Ainda mais se eu disser a ele que sou a filha do sargento Dawson.

— Ele vai reconhecer você, Charlotte? — perguntou Ximena, apertando os olhos, duvidando.

— É claro que não! — respondi depressa, apenas querendo que ela parasse de falar. — Ele é cego, *idiota*!

No momento em que falei aquilo, tudo ficou em silêncio. Mesmo o aquecedor, que até então fazia um barulhão no auditório, de repente ficou quieto. Como se a sala quisesse ouvir minhas palavras ecoando no ar.

Ele é cego, idiota. Ele é cego, idiota. Ele é cego, idiota.

Outro vômito de palavras. Era quase como se eu estivesse *tentando* fazer Ximena Chin me odiar!

Esperei que ela rebatesse com uma resposta sarcástica, algo que me acertaria como um tapa invisível na cara.

Mas, em vez disso, para minha completa surpresa, ela começou a rir.

Summer começou a rir também.

— Ele é cego, *idiota*! — repetiu ela, imitando com perfeição o modo como eu falara.

— Ele é cego, *idiota*! — repetiu Ximena.

As duas caíram na gargalhada. Acho que meu olhar aterrorizado tornou tudo ainda mais engraçado. Sempre que olhavam para minha cara, elas riam ainda mais.

— Desculpe ter dito isso, Ximena — sussurrei, depressa.

Ela balançou a cabeça, secando os olhos com a palma da mão.

— Tudo bem — respondeu, tomando fôlego. — Eu meio que estava esperando.

Não havia nenhum traço de mau humor no rosto dela agora. Estava sorrindo.

— Olhe, não quis ofendê-la mais cedo — disse Ximena. — O que falei sobre Auggie. Sei que você não é legal com ele *só* na frente dos professores. Desculpe ter dito aquilo.

Eu não conseguia acreditar que ela estava se desculpando.

— Não, tudo bem — respondi, atrapalhada.

— Sério? — perguntou ela. — Não quero que você fique chateada comigo.

— Não estou!

— Às vezes acabo sendo uma completa idiota — disse ela, num tom arrependido. — Mas quero mesmo que a gente seja amiga.

— Tudo bem.

— Ooown — exclamou Summer, estendendo os braços para nós. — Venham aqui. Abraço coletivo.

Ela nos envolveu com suas asas de fada, e por alguns segundos ficamos juntas num abraço constrangedor que demorou um milésimo a mais do que deveria e terminou em mais risadas. Dessa vez, eu também estava rindo.

Essa acabou sendo a maior surpresa do dia. Não foi descobrir que as pessoas tinham me *notado*. Não foi descobrir que Summer sabia o nome do homem do acordeão.

Mas perceber que Ximena Chin, debaixo de suas várias e várias camadas de mau humor e maldade, podia ser um pouquinho doce. Quando não estava sendo um pouquinho cruel.

Como passamos a nos conhecer melhor

As semanas seguintes voaram! Foi um borrão de nevascas, ensaios de dança, projetos da feira de ciências, estudos para os testes *e* tentar resolver o mistério do que tinha acontecido com Gordy Johnson (falo mais disso depois).

A Sra. Atanabi se revelou um baita sargento! Adorável, com seu jeito fofo e desengonçado, mas *muito* exigente. Tipo, a gente *nunca* ensaiava o suficiente para ela. Treinos, treinos, treinos. *En pointe*! Shimmy! Rebolado! Balé clássico! Dança moderna! Um pouquinho de jazz! Sem sapateado! *Downbeat*! Meia-ponta! Tudo feito do jeito dela, porque ela tinha muitas peculiaridades específicas de dança. Coisas com as quais era obcecada. As danças em si não eram difíceis. O twist. Monkey. Watusi. Pony. Hitchhike. Swim. Hucklebuck. Shingaling. Difícil era fazer exatamente como ela queria. Como parte de uma coreografia maior. E em sincronia. E era nisso que gastávamos a maior parte do tempo. O modo como levantávamos os braços. Como esticávamos os dedos. Nossos giros. Nossos saltos. Tínhamos que nos esforçar muito para aprender a dançar *igual* — não apenas juntas!

A dança que passamos mais tempo treinando foi o shingaling. Era o ponto central do número da Sra. Atanabi, o que ela usava para passar de um estilo de dança para outro. Mas havia muitas variações dele — o latino, o R&B, o funk —; era difícil não confundi-los. E a Sra. Atanabi era *muito* específica sobre as características de cada um deles! Engraçado como ela podia ser tão distraída com algumas coisas — por exemplo, *nunca* chegar para o ensaio na hora! — e tão rígida com outras — por exemplo, Deus me livre fazer um *chassé* diagonal em vez de um lateral! *Ops, cuidado, pode ser o fim do mundo*!

A propósito, não estou dizendo que a Sra. Atanabi não era legal. Para ser justa, ela *era* superlegal. Se tivéssemos problemas com um passo novo, ela nos incentivava:

— Pequenos passos, meninas! Tudo começa com pequenos passos!

Também nos surpreendia com brownies depois de um ensaio particularmente intenso. E nos levava de carro para casa depois dos ensaios, quando nos prendia até tarde. Contava histórias engraçadas sobre outros professores. Histórias de sua vida pessoal. Como cresceu em Barrio. Como alguns de seus amigos seguiram um caminho "errado". Como assistir a *American Bandstand* havia salvado sua vida. Como tinha conhecido o marido, que também era dançarino, enquanto fez parte do Cirque du Soleil em Quebec.

— Nós nos apaixonamos fazendo *arabesques* numa corda bamba a quinze metros de altura.

Mas foi intenso. À noite, quando eu ia dormir, tinha tanta informação dançando na minha cabeça! Trechos de música. Coisas para decorar. Equações matemáticas. Listas de tarefas. A Sra. Atanabi com seu leve sotaque do leste do Harlem: *É o shingaling, querida*! Às vezes eu botava os fones de ouvido para abafar o barulho na minha cabeça.

Mas eu estava me divertindo tanto, que não mudaria nada. Porque a melhor parte de todo aquele ensaio enlouquecedor, dos treinos da Sra. Atanabi e tudo mais — *e não quero parecer brega* — era que Ximena, Summer e eu estávamos começando a nos conhecer de verdade. Ok, isso *parece* brega. Mas é verdade! Olhe, não estou dizendo que nos tornamos melhores amigas nem nada. Summer ainda andava com Auggie. Ximena ficava o tempo todo com Savanna. Eu continuava jogando pontinhos com Maya. Mas estávamos nos tornando amigas. Tipo, amigas *de verdade*.

O mau humor de Ximena, a propósito, era completamente falso. Algo que ela podia tirar sempre que quisesse. Como um cachecol que você usa até começar a pinicar seu pescoço. Quando estava com

Savanna, ela usava o cachecol. Com a gente, ela o tirava. Isso não quer dizer que eu não ficava mais nervosa perto dela! Meu Deus. A primeira vez que ela foi à minha casa? Fiquei desesperada! Estava com medo de que minha mãe me envergonhasse. De que os bichos de pelúcia na minha cama fossem cor-de-rosa demais. Estava nervosa por causa do pôster do *Big Time Rush* na porta do meu quarto. Com medo de que minha cadela, Suki, fizesse xixi nela.

Mas, claro, tudo ficou bem! Ximena foi superlegal. Disse que meu quarto era maneiro. Depois do jantar, se ofereceu para lavar a louça. Zombou de uma foto minha especialmente hilária aos três anos de idade, e ela estava certa, porque na foto eu parecia um fantoche de meia! Em algum momento daquela tarde, nem sei quando, até parei de pensar: *Ximena Chin está na minha casa! Ximena Chin está na minha casa!* E comecei a me divertir. Isso foi importante para mim, porque foi um momento decisivo, quando parei de agir como uma idiota perto dela. Sem mais vômitos de palavras. Acho que foi quando tirei meu "cachecol" também.

Enfim, fevereiro foi intenso, mas foi incrível. E, no final do mês, nos encontrávamos na minha casa todos os dias depois da aula, dançávamos de frente para a parede espelhada, nos corrigíamos, sincronizávamos nossos movimentos. Sempre que ficávamos cansadas, ou desanimadas, uma de nós dizia, com o sotaque da Sra. Atanabi:

— É o shingaling, querida! — E isso nos fazia seguir em frente.

E às vezes não ensaiávamos. Às vezes apenas ficávamos na sala de estar, perto da lareira, fazendo o dever de casa juntas. Ou conversando. Ou, de vez em quando, procurando Gordy Johnson.

Como eu prefiro finais felizes

Uma das coisas de que mais sinto falta de quando era pequena é que a maioria dos filmes que eu via tinha final feliz. Dorothy volta para o Kansas. Charlie fica com a fábrica de chocolates. Edmund se redime. Gosto disso. Gosto de finais felizes.

Mas, conforme vamos ficando mais velhos, começamos a perceber que, às vezes, as histórias *não* têm finais felizes. Às vezes, os finais inclusive são tristes. Claro, isso torna a narrativa mais interessante, porque você não sabe *o que* vai acontecer. Mas também é meio assustador.

Enfim, o motivo para eu estar falando disso é que, quanto mais procurávamos Gordy Johnson, mais eu percebia que essa história poderia *não* ter um final feliz.

Tínhamos começado nossa pesquisa simplesmente buscando o nome dele no Google. Mas descobrimos que existem centenas de Gordy Johnson. Gordon Johnson. Gordie Johnson. Há um famoso músico de jazz chamado Gordy Johnson (e concluímos que isso explicava o boato que o homem da ótica tinha ouvido sobre o *nosso* Gordy Johnson). Há políticos Gordy Johnson. Pedreiros Gordy Johnson. Veteranos de guerra. Vários obituários. A internet não faz distinção entre nomes de pessoas vivas e mortas. E sempre que clicávamos em um daqueles nomes, ficávamos aliviadas por não ser o *nosso* Gordy Johnson. Mas tristes por ser o Gordy Johnson de outra pessoa.

No início, Ximena não se envolveu na pesquisa conosco. Ela ficava fazendo o dever de casa ou trocando mensagens com Miles num canto do quarto enquanto Summer e eu nos apertávamos na frente do laptop, navegando de página em página por becos sem saída. Mas, um dia, Ximena puxou a cadeira para perto da gente e começou a olhar por cima dos nossos ombros.

— Talvez vocês devessem tentar fazer uma pesquisa por imagem — sugeriu.

Então fizemos. Também não deu em nada. Mas, depois disso, Ximena ficou tão interessada quanto nós em descobrir o que tinha acontecido com Gordy Johnson.

Como descobri uma coisa sobre Maya

Enquanto isso, na escola, tudo corria normalmente. Tivemos a feira de ciências. Remo e eu tiramos 8,5 por nosso diorama da anatomia celular, o que foi mais do que eu esperava, considerando que dediquei o mínimo de tempo possível a esse projeto. Ximena e Savanna construíram um relógio de sol. No entanto, o mais interessante de todos provavelmente foi o de Auggie e Jack. Era uma lâmpada que funcionava com a energia de uma batata. Calculei que Auggie devia ter feito a maior parte do trabalho, pois, vamos encarar os fatos, Jack nunca foi o que chamaríamos de um "aluno talentoso", mas ele estava muito feliz por ter tirado 10. Estava tão fofo!!! Como um emoticon feliz, mas meio sem noção. ☺

E este foi meu emoticon quando o vi: 😍

No final de fevereiro, a guerra dos meninos tinha evoluído de verdade. Summer me atualizou sobre o que estava acontecendo, já que tinha acesso a tudo do ponto de vista de Jack e Auggie. Ao que parecia — e eu tinha jurado guardar segredo —, Julian havia começado a deixar bilhetes bem cruéis em post-its amarelos nos armários de Jack e Auggie.

Eu me senti tão mal por eles!

Maya também. Ela havia ficado obcecada com essa guerra, embora a princípio eu não entendesse por quê. Ela nunca tinha feito qualquer tentativa de ser amiga de Auggie! E sempre tratara Jack como um idiota. Tipo, na época em que Ellie e eu dizíamos que ele estava um fofo com sua cartola de Artful Dodger, Maya enfiava os dedos nos ouvidos e apertava os olhos, como se só a ideia lhe causasse repulsa. Então concluí que seu interesse na guerra dos meninos tinha a ver com o fato de que, por mais esquisita que fosse, Maya tinha bom coração.

Foi só um dia, durante o almoço, quando a encontrei concentrada trabalhando num tipo de lista, que entendi por que ela se importava tanto. Em seu caderno, onde costumava desenhar os jogos de pontinhos, havia três colunas de minúsculos post-its com os nomes de todos os garotos da nossa série. Ela os organizava nas colunas: grupo do Jack; grupo do Julian; neutros.

— Acho que isso vai ajudar Jack a ver que ele não está sozinho nessa guerra — explicou ela.

Foi então que percebi: *Maya tem uma quedinha por Jack Will! Ownn, que fofo!*

— Legal — respondi, sem querer constrangê-la. Então eu a ajudei a organizar a lista. Discordamos em relação a alguns dos neutros. Por fim, ela cedeu. Depois copiou a lista numa folha de papel, a qual dobrou ao meio, depois em quatro, em oito e em dezesseis partes. — O que você vai fazer com isso?

— Não sei — respondeu ela, empurrando os óculos para cima, no nariz. — Não quero que caia nas mãos erradas.

— Quer que eu entregue a Summer?

— Quero.

Então dei a lista para Summer entregá-la a Jack e a Auggie. Acho que Summer pensou que eu mesma tinha feito a lista, e não a corrigi porque eu *tinha* ajudado Maya a fazê-la, então achei que estava tudo bem.

— Como está indo a dança? — perguntou Maya, com seu jeito entediado, naquele mesmo dia. Eu sabia que ela só estava tentando ser educada, já que não podia se importar menos com a apresentação. Mas ela era boa a esse ponto. Pelo menos fez um esforço para parecer interessada.

— Uma loucura!!! — respondi, dando uma mordida no meu sanduíche. — A Sra. Atanabi é completamente doida!

— Rá. A Sra. Louc-anabi — disse Maya.

— É. Essa é boa.

— Parece que você hibernou fevereiro inteiro! — comentou Maya. — Mal a vejo. Você nunca mais voltou para casa com a gente depois da aula.

Assenti.

— Eu sei. Ultimamente temos ensaiado na hora do almoço. Mas em breve isso vai acabar. Só mais algumas semanas. O baile é no dia 15 de março.

— Tem cuidado com os idos de março — disse ela.

— Ah, é! Certo — falei, embora não tivesse a menor ideia do que ela estivesse falando.

— Então, quer ver o rascunho do meu mais novo jogo de pontinhos colossal?

— Claro — respondi, respirando fundo.

Ela pegou o caderno e embarcou numa explicação detalhada sobre como tinha parado de usar o padrão de grade para os pontos e agora estava usando um estilo de arte em giz para criar murais, e assim, quando os pontos fossem ligados, teriam um "padrão de fluxo dinâmico". Ou algo assim. A verdade é que tive dificuldade de acompanhar o que ela estava dizendo. A única parte que com certeza ouvi foi quando ela disse:

— Ainda não trouxe meu novo jogo de pontinhos para a escola porque quero ter certeza de que você estará por aqui para jogar.

— Ah, que fofo — respondi, coçando a cabeça. Não dava para acreditar em como eu estava entediada naquele momento.

Ela começou a falar mais alguma coisa sobre os pontinhos e eu olhei para a mesa de Summer para me distrair. Ela, Jack e Auggie estavam rindo. Posso garantir uma coisa: eles não estavam falando de pontinhos. Às vezes eu queria ter coragem de ir me sentar com eles.

Então olhei para a mesa de Savanna. Todas também estavam rindo e se divertindo. Savanna. Ellie. Gretchen. *Ximena.* Todas falando dos garotos da mesa em frente a elas: Julian, Miles, Henry, Amos.

— Ela não é horrível? — comentou Maya, seguindo meu olhar.

— Ellie? — perguntei, porque era para quem eu estava olhando naquele exato momento.

— Não. Ximena Chin.

Eu me virei de frente para Maya. Sabia que ela odiava Ximena, mas, por algum motivo, o modo como disse aquilo, com aquele tom raivoso, me surpreendeu.

— O que você tem contra ela? — perguntei. — Foi Ellie que nos trocou, lembra? É *Savanna* que não tem sido legal com a gente.

— Não é verdade — argumentou Maya. — Savanna sempre foi legal comigo. Nós brincávamos juntas o tempo todo quando éramos da pré-escola.

Balancei a cabeça.

— Sim, Maya, mas brincar juntas nessa época não conta. Na metade das vezes são nossas mães que marcam as coisas. Agora *nós* temos que escolher com *quem* queremos andar. E Savanna está *escolhendo* não andar com a gente. Ellie está *escolhendo* não sair com a gente. Assim como nós estamos *escolhendo* não andar com algumas pessoas. Não é nada de mais. Mas sem dúvida não é culpa da Ximena.

Maya espiou a mesa de Savanna por cima dos óculos. Enquanto eu olhava para ela, percebi que minha amiga tinha exatamente a mesma aparência de quando estava no jardim de infância, quando jogávamos peteca no parquinho ou íamos procurar fadas no parque ao pôr do sol.

De certo modo, Maya não tinha crescido muito desde então. Seu rosto, seus óculos e seu cabelo continuavam praticamente os mesmos. Ela estava mais alta agora, claro. Mas quase todo o resto era idêntico. Sobretudo as expressões. Eram exatamente as mesmas.

— Não, Ellie era legal comigo — respondeu ela, confiante. — Assim como Savanna. E a culpa é toda da Ximena Chin.

Como fevereiro também nos rendeu dinheiro!

No fim de fevereiro tínhamos conseguido trinta e seis dólares!

A Sra. Atanabi havia se atrasado para todos os ensaios.

Cada.

Um.

Deles.

Tanto que ela já chegava segurando notas de um dólar novinhas em folha, pronta para nos entregar. Ela literalmente aparecia, começava a falar, nos entregava o dinheiro sem nem prestar muita atenção e começava a aula de dança! Era quase como se esse fosse o preço da entrada. O que ela pagava para passar pela porta. Muito engraçado!

Então, em dado momento no meio do mês, ela mesma sugeriu aumentar a multa que nos pagaria por se atrasar: de um dólar para cinco. Isso, garantiu ela, definitivamente a impediria de chegar atrasada no futuro.

Mas é claro que também não funcionou. E agora, em vez de ir para o ensaio com notas de um dólar novinhas na mão, ela chegava com notas de cinco. Que ela simplesmente deixava sobre nossas mochilas junto à porta, sem dizer nada. O preço da entrada.

Fush. Fush. Fush.

— Deus abençoe a América.

Até Ximena dizia isso agora.

Como Ximena fez uma descoberta

Ascension transcende.
Por Melissa Crotts, NYT *MuseTech*, fevereiro de 1978

Ascension, que tem sua première mundial no Nelly Regina Theater, é a estreia maravilhosa da coreógrafa Petra Echevarri, recém-formada na Juilliard e vencedora do Prêmio Princesa Grace. Impressionante reinterpretação das danças da moda nos anos 1960 — vistas pelas lentes Kodachrome da infância da autora no Barrio de Nova York —, o show faz uma homenagem fascinante e alegre ao estilo estridente e interessante da década, que logo será perdido. Repleto de saltos de tirar o fôlego e passos inovadores que escondem a formação clássica da Srta. Echevarri, o espetáculo tem uma dança específica, o shingaling, e cria uma narrativa visual através da qual transita o restante da obra.

"Escolhi o shingaling como peça central do espetáculo", explica Echevarri, "porque é o único estilo de dança da época que de fato se desenvolveu com os anos, refletindo estilos musicais e gêneros de músicos e dançarinos que o interpretavam. Há muitos tipos de shingaling: latino, soul, R&B, funk, psicodélico e rock. É a única dança que liga todas as outras. O fio em comum.

"Por ter crescido nos anos 1960, a música era tudo para mim e para meus amigos. Eu não tinha dinheiro para aulas de dança. *American Bandstand* foi meu professor. Aqueles estilos de dança da era foram meu treinamento."

Echevarri só começou a ter aulas formais de dança aos doze anos, mas depois disso não havia como voltar atrás. "Assim que entrei para Artes Performáticas e para a Juilliard", lembra ela, "eu soube que podia fazer aquilo. Podia desafiar as probabilidades. Nenhum dos meus amigos da vizinhança conseguiu. É difícil deixar a infância para trás."

Quando questionada sobre o que a levou a escolher o shingaling como tema central, Echevarri assume um tom melancólico: "Há alguns anos, cerca de um mês antes de eu me formar na Juilliard, fui ao enterro de uma amiga de infância — uma das meninas que iam à minha casa assistir a *Bandstand*. Fazia anos que eu não a via, mas tinha ouvido falar que ela tinha seguido pelo mau caminho, se envolvido com a turma errada. Enfim, a mãe dela me viu no enterro e me disse que a filha tinha feito um presente para mim, pela minha formatura. Eu não tinha ideia do que era!"

Echevarri mostra uma fita cassete. "Essa menina tinha gravado para mim uma fita com todas as músicas de shingaling da nossa infância. Todas elas. 'Chinatown', de Justi Barreto. 'Shingaling Shingaling', de Kako and His Orchestra. 'Sugar, Let's Shing-A-Ling', de Shirley Ellis. 'I've Got Just the Thing', de Lou Courtney. 'Shing-A-Ling Time, Baby!', de Liberty Belles. 'El Shingaling', de Lat-Teens. 'Shing-A-Ling!', de Arthur Conley. 'Shing-A-Ling!', de Audrey Winters. 'Nobody but Me', de Human Beinz. Uma lista de músicas incrível. Nem sei como ela conseguiu gravar algumas dessas. Mas, quando as ouvi, soube que ia criar uma coreografia em torno delas."

As três dançarinas no show, todas recém-formadas pela Juilliard, trazem um vocabulário diferente para a montagem, arrastando os espectadores para uma experiência ao mesmo tempo alegre e animadora, sem qualquer sentimentalismo barato. Essa falta de artifícios se deve tanto ao arranjo das músicas, que se misturam sem deixar emendas aparentes, como à narrativa pungente de Echevarri. A dança moderna em sua melhor forma.

Como trocamos mensagens

Quinta-feira, 21h18

Ximena Chin

Vcs viram o artigo que mandei por e-mail?

Charlotte Cody

Ai! Meu! Deus! AQUELA é mesmo a Sra. Atanabi?

Ximena Chin

:) ;-O Doido, né?

Charlotte Cody

Tem ctz? Quem é Petra Echevarrrrarara?

Ximena Chin

É o nome de solteira dela. É ela! Confie em mim. Tava pesquisando sobre Gordy Johnson no Google hj, aí fiquei de saco cheio e comecei a pesquisar Petra Atanabi.

Summer Dawson

Acabei de ler o artigo. Inacreditável! É a apresentação que VAMOS FAZER!!!! Ascension!

Ximena Chin

Eu sei! Incríveeeeeeeeel!

Charlotte Cody

Ela está tão jovem e bonita naquela foto.

Summer Dawson

Own, que fofo, Ximena!

Ximena Chin

Q?????

Summer Dawson

Você estava pesquisando sobre Gordy Johnson.

Ximena Chin

É, bem, agora também fiquei curiosa. Quero saber o que aconteceu com ele.

Charlotte Cody

Eu não qria dizer isso, mas minha mãe acha que talvez ele tenha...

Summer Dawson

Ah não!!! Acho que minha mãe pensa a msm coisa.

Ximena Chin

Dsclp meninas. Eu meio que concordo...?????

Charlotte Cody

Descanse em paz Gordy Johnson?????? ☹

Summer Dawson

Nããããõoooo!!!!!

Charlotte Cody

N acredito nisso.

Summer Dawson

Nem eu

Ximena Chin

Ok, finjam q n falei nd.

Summer Dawson

Falou o q?

Charlotte Cody

😌😌😌😌😌

Ximena Chin

Mudando completamente de assunto, vcs querem dormir na minha casa amanhã?

Charlotte Cody

Aham! Vou pedir pra minha mãe. Já volto.

Summer Dawson

Parece legal. Só a gente?

Ximena Chin

Sim. Às seis?

Summer Dawson

Ok

Charlotte Cody

Minha mãe deixou desde que seus pais estejam em casa.

Ximena Chin

Flw.

Charlotte Cody

A parte dos meus genitores que nesse momento está invadindo meu espaço pessoal e lendo minhas msgs por cima do meu ombro quer que eu termine o dever de casa, então tenho q ir. Vejo vcs amanhã! Boa noite.

Summer Dawson

Boa noite!

Ximena Chin

T+! Mal posso esperar. Bj

Como fomos à casa de Ximena Chin

Era a primeira vez que íamos à casa da Ximena. Até então, sempre ficávamos na minha ou na da Summer.

Ximena morava num desses arranha-céus luxuosos do outro lado do parque. Era um prédio com porteiro, muito diferente dos apartamentos de North River Heights, aos quais eu estava acostumada, que em sua maioria eram de tijolinho ou construções pequenas de uns cem anos. O prédio era ultramoderno. O elevador abria diretamente no apartamento dela.

— Oi! — disse Ximena, nos esperando no hall.

— Oi! — respondemos.

— Uau, é lindo aqui — disse Summer, olhando ao redor enquanto deixava o saco de dormir no corredor. — Quer que a gente tire os sapatos?

— Sim, obrigada — respondeu Ximena, pegando nossos casacos. — Não dá pra acreditar que está chovendo de novo.

Deixei meu saco de dormir ao lado do de Summer e tirei minhas botas UGG. Uma mulher que eu nunca tinha visto veio da sala de estar.

— Esta é Luisa — apresentou Ximena. — Estas são Summer e Charlote. Luisa é minha babá.

— Oi — dissemos.

Luisa sorriu para nós.

— É um prazer conhecê-las! — disse ela num inglês hesitante. Depois falou algo bem depressa em espanhol para Ximena, que assentiu e respondeu com um *gracias*.

— Você fala *espanhol?* — perguntei, surpresa. Estávamos seguindo Ximena até a bancada da cozinha.

Ela riu.

— Você não sabia? *Ximena* é um típico nome espanhol. Querem beber alguma coisa?

— Achei que fosse chinês! — respondi, com sinceridade. — Água está ótimo.

— Eu também — disse Summer.

— Meu pai é chinês — explicou ela, enchendo dois copos de água na porta da geladeira. — Minha mãe é espanhola. De Madri. Eu nasci lá.

— Sério? — perguntei. — Que legal.

Ela pôs os copos d'água na nossa frente enquanto Luisa trazia uma bandeja cheia de petiscos.

— *Muchas gracias*! — disse Summer para Luisa.

— *Muchas gracias* — repeti, com meu sotaque americano terrível.

— Vocês são tão fofas — disse Ximena, mergulhando um palitinho de cenoura num potinho de homus.

— Então você cresceu em Madri? — perguntei.

Depois de dançar, de cavalos e de *Os miseráveis*, a coisa que eu mais amo no mundo é viajar. Não que eu já tivesse viajado... até então. Por enquanto só fomos para as Bahamas uma vez, Flórida e Montreal, mas meus pais estão falando em nos levar à Europa algum dia. E pretendo me tornar uma viajante profissional depois que me aposentar como estrela da Broadway.

— Não cresci lá, não — respondeu ela. — Quer dizer, passo os verões lá, com exceção do último, quando fiz o curso intensivo de balé aqui na cidade. Mas não cresci lá. Meus pais trabalham para a ONU, então eu meio que passei por vários lugares diferentes. — Ela mordeu um pedaço do palito de cenoura. *Crunch*. — Dois anos em Roma. E antes disso moramos em Bruxelas. Ficamos um ano em Dubai, quando eu tinha uns quatro anos, mas não me lembro de nada.

— Uau! — exclamou Summer.

— Isso é tão legal — falei.

Ximena bateu com a cenoura no copo em que estava bebendo.

— É ok — disse ela. — Mas também pode ser meio difícil. Ficar se mudando. Sou sempre nova na escola.

— Ah, sim — concordou Summer, sendo solidária.

— Eu sobrevivi — respondeu Ximena, sarcástica. — Não tenho do que reclamar. — Deu mais uma mordida no palito de cenoura.

— Então você fala outras línguas? — perguntei.

Ela levantou três dedos e meio para responder, pois estava de boca cheia. E depois que engoliu, explicou:

— Inglês, porque sempre estudei em colégios americanos. Espanhol. Italiano. E um pouco de mandarim por causa da minha avó.

— Isso é tão legal! — respondi.

— Você fala muito *tão legal* — observou Ximena.

— Isso não é legal — respondi, o que a fez rir.

Luisa se aproximou de Ximena e lhe fez uma pergunta.

— Luisa quer saber o que vocês gostariam de jantar — traduziu Ximena.

Summer e eu nos olhamos.

— Ah, qualquer coisa está bom — disse Summer para Luisa, num tom muito educado. — Por favor, não se incomode com isso.

Luisa ergueu as sobrancelhas e sorriu, enquanto Ximena traduzia. Então esticou a mão e beliscou a bochecha de Summer com carinho.

— *¡Qué muchachita hermosa!* — falou. Depois se virou para mim. — *Y esta se parece a una muñequita.*

Ximena riu.

— Ela disse que você é muito bonita, Summer. E que você parece uma bonequinha, Charlotte.

Olhei para Luisa, que estava sorrindo e assentindo.

— Own! — exclamei. — Que gentil!

Então ela se afastou para começar a preparar nosso jantar.

— Meus pais vão chegar em casa por volta das oito — disse Ximena, fazendo um gesto para que a seguíssemos.

Ela nos mostrou o restante do apartamento, que parecia ter sido tirado de uma revista. Tudo era branco. O sofá. O tapete. Havia até uma mesa de pingue-pongue branca na sala de estar! Isso me deixou um pouco nervosa, com medo de acabar derramando alguma coisa sem querer, por ser estabanada — o que é um fato reconhecido sobre mim.

Atravessamos o corredor até o quarto de Ximena, que devia ser o maior que eu já tinha visto (e nem era o quarto principal). Devia ser quatro vezes o tamanho do meu, que eu dividia com Beatrix.

Summer foi até o meio do aposento e girou devagar, observando tudo.

— Ok, este quarto é do tamanho de toda a minha sala de estar e cozinha juntas — falou.

— Uau! — exclamei, caminhando até as janelas que iam do chão ao teto. — Dá pra ver o Empire State daqui.

— Este é, tipo, o apartamento mais bonito que já vi — disse Summer, sentando-se na cadeira da escrivaninha de Ximena.

— Obrigada — falou Ximena, assentindo e olhando ao redor. Ela parecia um pouco constrangida. — Sim, quer dizer, como só estamos aqui desde o verão, ainda não me sinto em casa, mas... — Ela se jogou na cama.

Summer empurrou a cadeira de rodinhas até o gigantesco quadro de avisos atrás da mesa de Ximena, que estava totalmente coberto com pequenas fotos, imagens, citações e provérbios.

— Veja, um preceito do Sr. Browne! — disse ela, apontando para um recorte com o preceito de setembro do Sr. Browne.

— Bem, ele é meu professor favorito de todos que já tive — respondeu Ximena.

— O meu também! — falei.

— Que linda foto de você e Savanna — comentou Summer.

Eu me aproximei e olhei para o que ela estava apontando. No meio das dezenas de pequenas fotos das pessoas da vida de Ximena, a maioria das quais nós não conhecíamos, havia Ximena e Savanna em cabines fotográficas — mais Ximena e Miles, Savanna e Henry, e Ellie e Amos. Tenho que admitir que foi meio estranho ver a foto de Ellie ali. Como se eu a visse sob uma nova luz. Ela realmente tinha uma vida nova.

— Tenho que tirar uma foto de *vocês duas* para o meu mural — disse Ximena.

— Ah, qual é... — falou Summer, com seu jeito reprovador fofo de fada, apontando para uma imagem no quadro. — Ximena!

Levei um segundo para perceber que ela não tinha dito "ah, qual é" em resposta ao que Ximena dissera.

— Sinto muito — falou Ximena, com cara de culpa.

A princípio não entendi qual era o problema, já que era apenas a foto da nossa turma. Então percebi que no rosto de Auggie estava um minúsculo post-it amarelo com o desenho de uma carinha triste.

Ximena arrancou o post-it da foto.

— Foi bobeira de Savanna e das meninas — falou, em tom de desculpas.

— Isso é quase tão ruim quanto a mãe de Julian alterando a imagem no Photoshop — disse Summer.

— Foi há tanto tempo que até tinha esquecido que isso estava aí — disse Ximena. Agora eu estava tão acostumada com a covinha na sua bochecha esquerda que já não confundia mais quando ela estava falando sério e quando era brincadeira. Eu sabia que sua expressão naquela hora era mesmo de remorso. — Olhe, a verdade é que eu acho Auggie incrível.

— Mas você nunca fala com ele — argumentou Summer.

— Só porque não me sinto confortável perto dele não quer dizer que eu não o ache incrível.

Nesse momento ouvimos uma batida na porta aberta. Luisa segurava nos braços um garotinho que claramente tinha acabado de despertar de uma soneca. Ele devia ter uns três ou quatro anos e era igualzinho a Ximena, exceto pelo fato de que estava óbvio que tinha síndrome de Down.

— *¡Hola, Eduardito!* — disse Ximena, radiante. Ela estendeu os braços para o irmão mais novo, e Luisa o colocou no colo dela. — Estas são minhas amigas. *Mis amigas*. Essa é Charlotte, e essa é Summer. Diga oi. *Di hola*.

Ela pegou a mão de Eduardito e acenou para nós, e nós acenamos de volta. Eduardito, que ainda não estava completamente acordado, nos olhou sonolento enquanto Ximena cobria seu rosto de beijos.

Como brincamos de verdade ou consequência

— O dia em que descobri que meu pai tinha morrido — respondeu Summer.

Nós três estávamos deitadas em nossos sacos de dormir, no chão do quarto de Ximena. As luzes do teto estavam apagadas, mas as lâmpadas vermelhas de Natal espalhados por todo o quarto davam às paredes um brilho rosado no escuro. Nossos pijamas brilhavam, cor-de-rosa. Nossos rostos estavam rosados. Era a iluminação perfeita para contarmos segredos e falarmos de coisas sobre as quais jamais falaríamos à luz do dia. Estávamos brincando de Verdade ou Consequência, e o cartão de verdade que Summer pegara dizia: *Qual foi o pior dia da sua vida?*

Meu primeiro impulso foi colocar o cartão de volta e dizer a ela para pegar outro. Mas ela não parecia se incomodar em responder.

— Eu estava na aula da Sra. Bob quando minha mãe e minha avó foram me buscar — continuou ela, baixinho. — Achei que fossem me levar ao dentista, já que meu dente tinha caído naquela manhã. Mas no instante em que entramos no carro, minha avó começou a chorar. E então a mamãe me contou que elas tinham acabado de saber que papai havia sido morto em combate. *Papai está no céu agora*, disse ela. Então nós três choramos sem parar no carro. Lágrimas pesadas e incontroláveis. — Ela mexia no zíper do saco de dormir enquanto falava, sem olhar para a gente. — Enfim, foi o pior dia.

Ximena balançou a cabeça.

— Não consigo nem imaginar como deve ter sido — falou, em voz baixa.

— Nem eu — concordei.

— Na verdade, agora é meio que um borrão — respondeu Summer, ainda puxando o zíper. — Tipo, sinceramente, não me lembro do enterro dele. *Nadinha*. A única coisa que me lembro desse dia é do livro ilustrado de dinossauros que eu estava lendo. Tinha uma ilustração de um meteoro cruzando o céu sobre os tricératops. E me lembro de pensar que a morte do meu pai era como aquilo. Como a extinção dos dinossauros. Um meteoro atinge seu coração e muda tudo para sempre. Mas você continua aqui. Segue em frente.

Ela finalmente soltou o zíper e o puxou por completo, para fechar o saco de dormir.

— Mas, enfim... — concluiu.

— Eu me lembro do seu pai — falei.

— Sério? — perguntou ela, sorrindo.

— Ele era alto — respondi. — E tinha uma voz muito grave.

Summer assentiu, alegre.

— Minha mãe me disse que todas as mães o achavam *muito* bonito — falei.

Summer arregalou os olhos.

— Ooou — exclamou.

Ficamos em silêncio por alguns segundos. Summer começou a endireitar os bolos de cartões.

— Ok, agora é a vez de quem? — perguntou.

— Acho que é a minha — respondi, girando a roleta.

Caiu em VERDADE; peguei um cartão no bolo.

— Ah, essa é tão sem graça — declarei, e li em voz alta: — *Que superpoder você gostaria de ter e por quê?*

— É divertida — disse Summer.

— Eu ia querer voar, claro — respondi. — Poderia ir a qualquer lugar que quisesse. Passear pelo mundo. Ir a todos os lugares onde Ximena morou.

— Ah, acho que eu ia querer ser invisível — disse Ximena.

— Eu, não — respondi. — Pra quê? Pra ouvir o que todos dizem de mim pelas costas? E saber que todos acham que sou uma falsa?

— Ah, não! — Ximena riu. — Essa história de novo, não!

— Estou brincando, você sabe.

— Eu sei! Mas, para deixar claro, ninguém acha você uma falsa.

— Obrigada.

— Só fingida.

— Rá!

— Mas você *se importa* demais com o que as pessoas pensam — disse ela, meio séria.

— Eu sei — respondi, também séria.

— Ok, sua vez, Ximena — disse Summer.

Ximena girou a roleta. Caiu em VERDADE. Ela pegou um cartão, leu em silêncio e resmungou.

— *Se você pudesse sair com qualquer garoto da sua escola, com qual sairia?* — leu em voz alta. Cobriu o rosto com a mão.

— Que foi? — perguntei. — Não seria com o Miles?

Ximena começou a rir e balançou a cabeça, envergonhada.

— O quê?!?!?! — exclamamos Summer e eu, apontando para ela. — Quem? Quem? Quem?

Ximena estava rindo. Era difícil ver na luz fraca, mas tenho quase certeza de que estava ficando vermelha.

— Se eu contar, vocês vão ter que me contar *suas* paixonites secretas também! — disse ela.

— Não é justo, não é justo — respondi.

— É, sim! — insistiu ela.

— Está bem!

— Amos — respondeu, suspirando.

— Mentira! — disse Summer, boquiaberta. — A Ellie sabe?

— Claro que não! É só uma paixonite. Eu nunca tomaria nenhuma atitude em relação a isso. Além do mais, ele não está nem um pouco a fim de mim. Amos gosta mesmo da Ellie.

Pensei naquilo. Apenas alguns meses antes, Ellie e eu conversávamos sobre Jack. Ter um "namorado" parecia algo muito distante naquela época.

Ximena olhou para mim.

— Acho que sei por quem Charlotte tem uma quedinha — cantarolou.

Cobri o rosto.

— *Todo mundo sabe*, graças a Ellie — falei.

— E você, Summer? — perguntou Ximena, cutucando a mão dela.

— É, e você, Summer? — repeti.

Summer estava sorrindo, mas fez que não com a cabeça.

— Ah, fala logo! — disse Ximena, puxando o dedinho de Summer. — Não é possível.

— Está bem. — Ela hesitou. — Reid.

— Reid? — questionou Ximena. — Quem é Reid?

— Ele está na turma do Sr. Browne com a gente! — respondi. — Um quietinho, que desenha tubarões, sabe?

— Ele não é lá muito popular — disse Summer. — Mas é muito legal. E eu o acho bonitinho.

— Ohhh! — exclamou Ximena. — Claro que sei quem é Reid, dã. Ele é *totalmente* bonitinho.

— *Não é?* — concordou Summer.

— Vocês formam um belo casal — falou Ximena.

— Talvez um dia — respondeu Summer. — Não quero formar um casal *por enquanto*.

— Foi por isso que não quis sair com o Julian? — perguntou Ximena.

— Eu não quis sair com o Julian porque ele é um idiota — respondeu Summer, depressa.

— Mas você não estava doente de verdade no Halloween, né? — perguntou Ximena. — Na festa da Savanna?

Summer balançou a cabeça.

— Eu não estava doente.

Ximena assentiu.

— Foi o que eu pensei.

— Certo, tenho uma pergunta — falei para Ximena. — Mas não está nos cartões.

— Ah! — exclamou Ximena, erguendo as sobrancelhas e sorrindo. — Tudo bem.

Hesitei.

— Ok. Quando você diz que está "saindo" com Miles, o que isso significa? Tipo, o que vocês fazem?

— Charlotte! — repreendeu Summer, batendo no meu braço com as costas da mão.

Ximena começou a rir.

— Não, só quero dizer...

— Sei o que quer dizer! — falou Ximena, segurando meus dedos. — Só significa que Miles me encontra na frente do meu armário depois da aula todo dia. E me leva ao ponto de ônibus às vezes. Andamos de mãos dadas.

— Vocês já se beijaram? — perguntei.

Ximena fez uma careta, como se estivesse chupando limão. Não estava usando as lentes de contato, mas óculos grandes com aro de casco de tartaruga, assim como um aparelho odontológico que tinha que usar à noite. Não parecia nem um pouco a Ximena Chin que costumávamos ver na escola.

— Só uma vez. Na festa de Halloween.

— Você gostou? — perguntei.

— Não sei! — respondeu ela, sorrindo. — Foi um pouco como beijar seu próprio braço. Vocês já fizeram isso? Beijem seus braços.

Summer e eu obedecemos. E então todas começamos a rir.

— Oh, Jack! — falei, fazendo barulho com os lábios enquanto beijava meu braço, subindo e descendo pelo pulso.

— Oh, Reid! — disse Summer, fazendo o mesmo.

— Oh, Miles! — disse Ximena, beijando o próprio pulso. — Quer dizer, Amos!

Caímos na gargalhada.

— *Mi hija* — disse a mãe de Ximena, batendo na porta. Ela pôs a cabeça para dentro do quarto. — Não quero que o bebê acorde. Vocês podem falar mais baixo?

— Desculpe, *mamá* — disse Ximena.

— Boa noite, meninas — falou ela, docemente.

— Boa noite! — sussurramos. — Desculpe!

— Não devemos dormir agora? — perguntei, baixinho.

— Não, vamos só falar mais baixo — disse Ximena. — Vamos, acho que agora é sua vez, Summer. Verdade ou consequência?

— Também tenho uma pergunta que não está nos cartões — disse Summer, apontando para Ximena. — Para você.

— Ops, vocês estão conspirando contra mim! — Ximena riu.

— Ainda não tivemos nenhuma consequência — comentei.

— Ok, esta é a consequência — disse Summer. — Você tem que sentar à minha mesa no almoço na segunda-feira e não pode dizer a ninguém por quê.

— Ah, fala sério! — protestou Ximena. — Não posso simplesmente mudar de mesa sem dizer por quê.

— Exatamente! — respondeu Summer. — Então escolha VERDADE.

— Está bem — disse Ximena. — Então, qual é a pergunta?

Summer olhou para ela.

— Está bem, verdade. Mesmo se Savanna, Ellie e Gretchen não tivessem ido esquiar esse fim de semana, você teria nos convidado para dormir aqui hoje?

Ximena revirou os olhos.

— Ahhh! — Ela encheu as bochechas de ar como um peixe.

— Agora você está parecendo a Sra. Atanabi — comentei.

— Vamos, verdade ou consequência — pressionou Summer.

— Está bem, está bem — disse Ximena, por fim, escondendo o rosto com as mãos. — É verdade! Provavelmente não teria. Desculpem. — Ela nos espiou por entre os dedos. — Eu *deveria* ter ido esquiar com elas no fim de semana, mas aí achei que não valia a pena correr o risco de torcer o tornozelo ou algo assim às vésperas da apresentação, então cancelei na última hora e convidei vocês para virem.

— Arrá! — disse Summer, cutucando o ombro de Ximena. — Eu sabia. Éramos seu plano B para o fim de semana.

Comecei a cutucá-la também.

— Me desculpem! — disse Ximena, rindo, porque tínhamos começado a fazer cócegas nela. — Mas isso não significa que eu não queira andar com vocês também!

— Você convidou outras meninas para dormir aqui no último mês? — perguntou Summer.

A essa altura nós estávamos fazendo muita cosquinha.

— Sim! — Ela riu. — Sinto muito. Não convidei vocês das outras vezes também. Não sou boa em misturar meus grupos de amigas! Mas vou melhorar no ano que vem, prometo.

— Você gosta *mesmo* da Savanna? — perguntei, dando-lhe uma última cutucada.

Ximena fez uma careta que, percebi, era a imitação perfeita da cara de nojo de Savanna.

Dessa vez Summer e eu começamos a rir.

— Shh! — sussurrou Ximena, movendo a mão para nos lembrar de fazer silêncio.

— Shh! — imitou Summer.

— Shh! — fiz também.

Nós nos acalmamos.

— Ok, tenho que admitir — disse Ximena, baixinho —, Savanna tem sido *bem* irritante desde que comecei a passar o tempo ensaiando com vocês. Ela ficou uma fera por não ter sido escolhida!

— Provavelmente por eu ter sido escolhida no lugar dela — disse Summer.

— Na verdade, não. Ela ficou com raiva da Charlotte — respondeu Ximena, apontando para mim com o polegar.

— Eu sabia! — falei.

Ximena inclinou a cabeça para o lado.

— Ela disse... e estas são as palavras *dela*, não *minhas*... que você sempre consegue os bons papéis nos espetáculos da Beecher Prep porque os professores sabem que você participou de comerciais de TV quando era pequena. E que você faz de tudo para ser sempre a queridinha dos professores.

— Como. É. Que. É? — falei, estupefata. — Essa é a maior loucura que já ouvi.

Ximena deu de ombros.

— Só estou contando o que ela disse para mim e para Ellie.

— Mas Ellie sabe que não é verdade — falei.

— Acredite — disse Ximena. — Ellie nunca diz nada para contrariar Savanna.

— Não entendo por que ela sempre me *odiou* — comentei, balançando a cabeça.

— Savanna não odeia você — respondeu Summer, esticando a mão para tirar os óculos de Ximena. — No máximo, acho que ela sempre deve ter sentido ciúmes por você e Ellie serem melhores amigas.

— Sério? — duvidei. — Por quê?

Summer deu de ombros. Experimentou os óculos de Ximena.

— Bem, você sabe, você e Ellie costumavam ser meio fechadas. Acho que Savanna deve ter se sentido meio excluída.

Eu *nunca* tinha pensado nisso.

— Eu não tinha ideia de que as pessoas sentiam isso — falei. — Quer dizer, *sério*, não tinha ideia. Tem certeza? Mais alguém se sentia assim? *Você?*

Summer deixou os óculos caírem até a ponta do nariz.

— Mais ou menos. Mas eu não era da sua turma em nenhuma aula, então não me importava. Savanna era *de todas* as suas turmas.

— Uau! — exclamei, mordendo a bochecha, que é uma coisa que faço quando estou nervosa.

— Mas eu não me preocuparia com isso — disse Summer, botando os óculos de Ximena no meu rosto dessa vez. — Não importa mais. Ficam muito bem em você.

— Mas não quero que Savanna me odeie! — falei.

— Por que você se importa tanto com o que Savanna pensa? — perguntou Ximena.

— *Você* não se importa com o que ela pensa? — perguntei. — Sejamos honestas, você também fica diferente quando está perto dela.

— Isso é verdade — disse Summer, tirando os óculos do meu rosto. Ela começou a limpar as lentes com a blusa do pijama.

— Você é muito mais legal quando não está com ela — falei.

Ximena estava enrolando o cabelo com o dedo.

— Todo mundo é um pouco cruel na escola, vocês não acham? — perguntou ela.

— Não! — disse Summer, pondo os óculos de volta no rosto de Ximena.

— Nem um pouquinho? — retrucou Ximena, arqueando a sobrancelha direita.

— Não — repetiu Summer, ajeitando os óculos para que ficassem retos. — Ninguém tem que ser cruel. Nunca. — Ela se afastou para verificar os óculos.

— Bem, você acha isso porque é uma santa — provocou Ximena.

— Ai, meu Deus, se você me chamar de santa mais uma vez...! — Summer riu e jogou um travesseiro em Ximena.

— Summer Dawson, você acabou de me bater com meu travesseiro favorito de pluma de ganso branco europeu "fofura" 800, é isso mesmo? — questionou Ximena, levantando-se devagar. Ela pegou o travesseiro superfofo e o ergueu.

— Isso é um desafio? — perguntou Summer, ficando de pé e segurando seu travesseiro como um escudo.

Eu me levantei, animada, erguendo o meu também.

— Guerra de travesseiros! — exclamei, um pouco alto demais, porque estava animada.

— Shh! — murmurou Ximena, com um dedo na frente da boca para me lembrar de falar baixo.

— Guerra de travesseiro silenciosa! — sussurrei.

Passamos um longo instante nos entreolhando, para ver quem atacaria primeiro, e então começamos. Ximena acertou o travesseiro em Summer, Summer a golpeou por baixo, eu dei um grande golpe lateral em Ximena. Então Ximena veio e me atingiu pela esquerda, mas Summer girou e acertou nós duas por cima. Em pouco tempo estávamos nos atacando com mais do que apenas travesseiros: os bichos de pelúcia da cama de Ximena, toalhas, nossas roupas enroladas. E, apesar da nossa tentativa de sermos completamente silenciosas, ou talvez *por causa* dela — afinal, não tem nada mais engraçado do que tentar não rir quando se quer rir —, foi a melhor guerra de travesseiros da minha vida!

A guerra poderia ter durado muito mais tempo, mas o que acabou com ela foi a misteriosa explosão aguda de um pum que veio de alguma de nós. Isso nos fez parar na mesma hora. Ficamos olhando uma para a cara da outra, de olhos arregalados, e começamos a rir histericamente quando ninguém assumiu a culpa.

E aí, dois segundos depois, a mãe de Ximena bateu na porta de novo, ainda parecendo paciente, mas também um pouco irritada, óbvio. Já passava, e muito, da meia-noite.

Prometemos que iríamos dormir e que não faríamos mais nenhum barulho.

Estávamos sem fôlego de tanto rir. Minha barriga até doía um pouco.

Levamos um tempo para esticar nossos sacos de dormir e pôr os bichos de pelúcia no lugar. Dobramos nossas roupas e guardamos as toalhas de volta no armário.

Afofamos os travesseiros, deitamos em nossos sacos de dormir e os fechamos, então desejamos boa noite uma para a outra. Acho que eu teria dormido imediatamente, mas tive uma crise de riso, e então Summer e Ximena também começaram a rir. Ficamos tentando nos silenciar, uma cobrindo a boca da outra com as mãos.

Por fim, depois que as risadas acabaram e tudo voltou a ficar em silêncio, Ximena começou a cantar bem baixinho no escuro. A princípio, nem percebi o que ela estava cantando, de tão baixo.

No-no, no, no-no, no-no-no-no.

Então Summer continuou a música:

No, no-no, no, no, no-no, no-no, no-no.

Por fim, percebi qual era a canção e entoei:

No-no-no-no, no-no, no, no-no, no!

Então nós três começamos a cantar juntas, sussurrando.

Nobody can do the shingaling

Like I do...

Nobody can do the skate

Like I do...

Nobody can do boogaloo

Like I do...

Ficamos deitadas de costas, lado a lado, enquanto cantávamos e fazíamos nossos braços e mãos dançarem em sincronia sobre nossas cabeças. Cantamos a música toda, do começo ao fim, tão silenciosamente quanto se estivéssemos na igreja rezando.

Como são nossos diagramas de Venn

Eu sei. Passo muito tempo pensando nisso. 😜

Como nunca falamos disso

Na segunda-feira, não houve qualquer menção à noite na casa de Ximena. Era como se nós três soubéssemos, instintivamente, sem que fosse preciso dizer, que, quando voltássemos para a escola, tudo seria como antes. Ximena andando com o grupo de Savanna. Summer, com seu grupinho. Eu jogando pontinhos com Maya na mesa do almoço.

Ninguém jamais imaginaria que Summer, Ximena e eu tínhamos virado amigas. Ou que apenas alguns dias antes estávamos fazendo uma guerra de travesseiros silenciosa e compartilhando segredos sob a luz rosada das lâmpadas vermelhas de Natal no quarto de Ximena.

Como não consegui evitar uma catástrofe social

Na noite anterior ao baile de gala, a Sra. Atanabi nos disse para tirar o dia de folga e descansar. Ela queria que jantássemos uma refeição saudável e tivéssemos uma boa noite de sono. Então, nos entregou nossos figurinos, que, de algum modo, ela própria dera um jeito de costurar. Nós já os havíamos experimentado na semana anterior, mas eu estava muito animada para ir para casa e experimentar o meu outra vez, agora que tinha sido ajustado. O figurino era inspirado nesta foto das Liberty Belles:

Daí, naquela tarde, depois da aula, fui para casa com Maya e Lina, como costumava fazer antes de começar a andar com Summer e Ximena o tempo todo.

Era um dos primeiros dias bons de março, quando enfim temos um sinal da primavera depois do longo e enlouquecedoramente frio inverno. Lina deu a ideia de pararmos no Carvel a caminho de casa, o que era um programa bastante "primaveril", então subimos a Amesfort em direção ao parque. Enquanto caminhávamos, contei que Savanna vinha comentando por aí que eu só fui selecionada para a apresentação da Sra. Atanabi porque tinha feito comerciais de TV quando era pequena.

— Ninguém vai acreditar nisso — disse Lina, sendo solidária, chutando sua bola de futebol pelo caminho.

— É horrível! — disse Maya, e eu meio que fiquei feliz por elas estarem tão chateadas com aquilo. — Não dá para acreditar que Savanna seria capaz disso! Ela era tão legal comigo na educação infantil.

— Ela nunca foi legal comigo — respondi.

— *Comigo* ela era — insistiu Maya, empurrando os óculos para o alto do nariz. — Agora ela é má. Aquele grupinho todo é mau.

Assenti. Então balancei a cabeça.

— Bem, *disso* eu não sei.

— E agora colocaram Ellie contra nós — acrescentou Maya — Sabe, Ellie já mal me cumprimenta. Agora ela também é má.

Cocei o nariz. Para Maya, era tudo preto ou branco, oito ou oitenta.

— Acho que sim.

— Estou dizendo, a culpa é da Ximena Chin — continuou Maya. — É tudo culpa dela. Se não tivesse entrado na escola este ano, tudo seria como antes. Ela que é a má influência.

Eu sabia que era assim que Maya enxergava as coisas. Esse era um dos motivos para eu nunca ter entrado em detalhes sobre a nossa apresentação. Ela não tinha percebido que éramos só eu, Summer e a terrível *Ximena Chin*. E por mim estava ótimo! Eu não queria ter que defender minha amizade com Ximena para Maya! Para ser honesta, acho que ela não teria entendido.

— Sabe o que eu mais detesto? — insistiu Maya. — É que sei que ela provavelmente vai acabar fazendo o discurso de abertura da formatura do quinto ano.

— Bem, ela tem as melhores notas — respondi, tentando soar o mais imparcial possível.

— Achei que as suas notas fossem as melhores, Charlotte — disse Lina.

— Não, são as de Ximena — interferiu Maya. Ela começou a contar nos dedos: — Ximena. Charlotte. Simon. Eu. E depois Auggie ou Remo. Na verdade, Auggie tirou notas melhores que Remo em matemática, mas não se saiu tão bem nos últimos testes de espanhol, e isso fez sua média cair.

Maya sempre sabia as notas de todo mundo. Ela mantinha planilhas de deveres de casa e pontuações de trabalhos. Você fala uma coisa e, se tiver uma nota envolvida, Maya vai perguntar quanto você tirou. E ela tem um talento incrível para se lembrar de todos esses detalhes.

— É maluquice você conseguir se lembrar das notas de todo mundo — observou Lina.

— É um dom — respondeu Maya, e nem tinha intenção de fazer graça.

— Ei, você falou para Charlotte sobre o bilhete? — perguntou Lina.

— Que bilhete? — perguntei. Como já mencionei, eu estava um pouco por fora, porque não tínhamos andado muito juntas naquelas últimas semanas.

— Ah, nada — respondeu Maya.

— Ela escreveu um bilhete para Ellie — disse Lina.

Maya olhou para mim e franziu a testa.

— Dizendo como me sinto — acrescentou, me observando por cima da armação dos óculos.

Na mesma hora tive uma sensação ruim com relação ao bilhete.

— O que você escreveu? — perguntei.

Ela deu de ombros.

— Só um bilhete.

Lina deu uma cotovelada nela.

— Deixe a Charlotte ler!

— Ela vai me dizer para não entregar! — protestou Maya, mordendo a ponta do longo cabelo cacheado.

— Pelo menos pode me *mostrar*? — perguntei, já bem curiosa. — Vamos, Maya!

Tínhamos parado na esquina da Amesfort com a rua 222, esperando o sinal abrir para a gente.

— Está bem — concordou Maya. — Vou mostrar. — Ela começou a procurar no bolso do casaco e pegou um envelope amarrotado das Uglydolls, onde estava escrito "Ellie" com caneta prateada. — Ok. Basicamente, eu queria que Ellie soubesse como me sinto com relação à mudança que ela teve este ano.

Ela entregou o envelope para mim e então assentiu para que eu o abrisse e lesse o bilhete lá dentro.

Querida Ellie,

Como uma de suas amigas mais antigas, estou escrevendo para lhe dizer que você tem agido de modo muito diferente ultimamente, e espero que pare com isso. Não a culpo. A culpa é da maldita Ximena Chin, que é uma influência negativa para você! Primeiro ela virou a cabeça da Savanna e agora está transformando você numa zumbi bonitinha, igualzinha a ela. Espero que você pare de ser amiga dela e que se lembre de todos os bons momentos que passamos juntas. Lembre-se do preceito de novembro do Sr. Browne: "Não tenha amigos que não sejam como você!" Será que podemos ser amigas de novo?

Sua ex-melhor amiga,
Maya

Dobrei o bilhete e o enfiei de volta no envelope. Ela me olhava, cheia de expectativa.

— É idiota? — perguntou.

Entreguei o envelope de volta para ela.

— Não, não é idiota — respondi. — Mas, como sua amiga, acho que você não deveria entregar a Ellie.

— Eu sabia que você ia tentar me convencer a desistir! — protestou, chateada e decepcionada com a minha reação.

— Não, não estou tentando fazer você desistir! — falei. — Se você quiser *mesmo*, deve entregar a ela. Sei que sua *intenção* é boa, Maya.

— Não estou tentando ter boas *intenções* — disse ela, zangada. — Só quero ser verdadeira!

— Eu sei — falei.

A essa altura, já tínhamos atravessado a rua e chegado ao Carvel, apenas para ver como estava supercheio lá dentro. A fila no balcão ia até a porta, e todas as mesas estavam ocupadas — em sua maior parte, por alunos da Beecher Prep.

— Todo mundo teve a mesma ideia que a gente — disse Lina, arrependida.

— Está cheio demais — falei. — Deixa pra lá.

Maya apertou meu braço.

— Olha só! Ellie está ali — disse ela.

Segui seu olhar e vi Ellie sentada com Ximena, Savanna e Gretchen — além de Miles, Henry e Amos — à mesa em frente ao balcão de bolos de aniversário, que era do outro lado da loja.

— Vamos embora — insisti, puxando Maya pelo braço. Lina já tinha começado a chutar a bola pelo quarteirão. Mas Maya ficou onde estava.

— Vou entregar o bilhete a ela — disse, devagar, a expressão muito séria. Ela segurava na mão esquerda o bilhete que eu tinha acabado de devolver e agora o agitava como se fosse uma bandeira minúscula.

— Ah, não. Não vai, não — falei, depressa, puxando a mão dela para baixo. — Pelo menos não agora.

— Por que não?

Lina voltou na nossa direção.

— Espere, você quer entregar o bilhete para ela *agora*? — perguntou, incrédula. — Na frente de *todo mundo*?

— Quero! — respondeu Maya, teimosa.

— Não! — insisti, fechando minha mão em volta do bilhete. Eu só conseguia pensar no grande papel de boba que Maya estaria fazendo. Ellie abriria o bilhete na frente de todo mundo na mesa, e todos ficariam com muita raiva das coisas que Maya dizia sobre Ximena e Savanna. Eram coisas imperdoáveis, na verdade! Mas o pior é que iam começar a rir dela. — É o tipo de coisa que você nunca vai superar, Maya — alertei. — Você vai se arrepender. Não faça isso.

Dava para ver que ela estava reconsiderando, a testa estava toda franzida.

— Você pode entregar a ela em outra hora — continuei, puxando a manga de seu casaco como Summer às vezes puxava a do meu ao falar. — Quando ela estiver sozinha. Você pode até mandar pelo correio, se quiser. Mas *não* agora, na frente de todo mundo. Eu imploro. Acredite em mim, Maya. Seria uma catástrofe social.

Ela esfregou o rosto. O problema de Maya é que ela nunca se importou com popularidade ou catástrofes sociais. Ela é boa em organizar planilhas sobre as notas das pessoas, mas não tem ideia de como interpretar as circunstâncias sociais. Entende o básico, claro — mas, no seu mundo preto no branco, as pessoas são boas ou más. Não há meio-termo.

De certo modo, isso sempre foi uma das melhores coisas nela. Maya se aproximaria de qualquer um e presumiria que eram amigos. Ou faria algo muito legal por alguém do nada, como dar a Auggie um chaveiro de Uglydoll, como aconteceu na semana anterior.

Mas, por outro lado, isso também é muito ruim, porque Maya não tem defesa para quando as pessoas *não são* legais com ela. Não tem boas respostas. Leva tudo muito a sério. O pior, porém, é que nem sempre ela entende quando as pessoas não estão a fim de falar com ela. Ela continua falando ou fazendo perguntas até a pessoa ir embora. Foi Ellie quem resumiu isso perfeitamente alguns meses antes, quando estávamos conversando sobre como Maya às vezes consegue ser irritante:

"Maya facilita que as pessoas sejam más com ela."

E agora estava prestes a facilitar *muito* que Ellie fosse má com ela — na frente de um bando de gente tomando sorvete! Porque, apesar das minhas palavras, apesar de eu praticamente ter implorado que não fizesse isso, Maya Markowitz entrou na loja, abriu caminho pela multidão de pessoas na fila e foi até a mesa dos fundos, onde Ellie e todas aquelas garotas populares estavam sentadas.

Lina e eu assistimos da calçada do lado de fora do Carvel. Havia uma janela que ia do chão ao teto na frente, o lugar perfeito para ver o desenrolar dos acontecimentos. Por um segundo, achei que estava assistindo a um desses vídeos sobre natureza da PBS. Eu quase podia ouvir um homem com sotaque britânico narrando tudo.

Observe o que acontece quando a jovem gazela, que acabou de se desgarrar de seu bando...

Vi Maya dizer alguma coisa a Ellie, e o momento em que todo mundo à mesa parou de falar para olhar para Maya.

... chama a atenção dos leões, que não comem há muitos dias.

Eu a vi estender o envelope para Ellie, que pareceu um pouco confusa.

— Não consigo olhar — disse Lina, fechando os olhos.

E agora os leões, famintos por carne fresca, começam a caçada.

Como me mantive neutra — de novo

Quase tudo o que eu previ que aconteceria aconteceu como eu previ. Depois de entregar o bilhete a Ellie na frente de todo mundo na mesa, Maya se virou e começou a se afastar. Ellie e o grupo de Savanna trocaram olhares debochados, e antes que Maya tivesse chegado à mesa ao lado, Savanna, Ximena e Gretchen saíram de suas cadeiras para se amontoar em volta de Ellie, que abria o envelope. Eu podia ver muito bem seus rostos enquanto liam o bilhete. Ximena prendeu a respiração por um momento, enquanto Savanna estava obviamente achando tudo hilário.

Maya continuou andando pelo salão em direção à porta, olhando para mim e para Lina. Acredite ou não, ela sorria para a gente. Dava para ver que estava mesmo muito feliz. De seu ponto de vista, estava tirando do peito algo que a vinha incomodando de verdade e, como não dava a mínima para o que o grupo das populares pensava dela, achava que não tinha nada a perder. A verdade é que elas não tinham o poder de machucar Maya, porque minha amiga estava acima disso. Era só com Ellie que ela estava chateada, porque Ellie era sua amiga. Mas Maya realmente não se importava com o que as outras garotas pensavam dela, nem que estivessem rindo da sua cara ali mesmo.

De certo modo, tenho que admitir: admiro a coragem de Maya.

Dito isso, eu sabia que a última coisa que queria naquele momento era ser vista com ela, então comecei a me afastar da vitrine antes que ela saísse. Eu não queria que Ximena, em especial, me visse ali, esperando Maya do lado de fora. Não queria que ninguém pensasse que eu tinha algo a ver com aquela loucura.

Da mesma forma que tinha ficado neutra na guerra dos meninos, eu queria ficar neutra no que poderia se tornar uma guerra entre as garotas.

Como Ximena reagiu

Summer me mandou uma mensagem mais tarde naquele dia.

Vc soube o q a Maya fez?

Sim, respondi.

Estou com a Ximena agora. Na minha casa. Ela tá muito chateada. Vc pode vir pra cá?

— Mãe — falei, quando estávamos nos preparando para jantar. — Posso ir na casa da Summer?

Minha mãe balançou a cabeça.

— Não.

— Por favor! É tipo uma emergência.

Ela olhou para mim.

— O que aconteceu?

— Não posso explicar agora — respondi, depressa, pegando meu casaco. — Por favor, mãe! Volto logo, prometo.

— Tem alguma coisa a ver com a apresentação? — perguntou ela.

— Mais ou menos — menti.

— Está bem, me mande uma mensagem quando chegar lá. Mas quero que esteja de volta às seis e meia.

Summer morava a apenas quatro quadras da minha casa, então cheguei lá em dez minutos. A mãe dela me recebeu.

— Oi, Charlotte, elas estão lá dentro — disse ao abrir a porta. Então pegou meu casaco.

Fui até o quarto de Summer, onde Ximena, exatamente como Summer tinha escrito na mensagem, chorava na cama. Summer estava com uma caixa de lenços nas mãos, consolando Ximena.

Elas me contaram a história toda, e fingi que não sabia de muitos detalhes. Maya havia entregado um bilhete a Ellie, na frente de todo mundo, no qual dizia uma porção de coisas realmente "venenosas" sobre Ximena. Foi assim que elas o descreveram para mim.

— Ela me chamou de *maldita*! — disse Ximena, secando as lágrimas. — Quer dizer, o que eu fiz para Maya? Eu nem a *conheço*!

— Eu estava dizendo a Ximena que às vezes Maya não tem muito jeito com as pessoas — falou Summer, dando tapinhas nas costas de Ximena, feito uma mãe.

— Jeito com as pessoas? — repetiu Ximena. — Isso não é falta de jeito, é pura maldade! Tem ideia de como é todo mundo ler algo *tão* horrível sobre você? O bilhete rodou a mesa, e todos se revezaram para lê-lo... até os meninos. E todo mundo achou *muito engraçado*. Savanna quase fez xixi na calça de tanto rir. Eu fingi que achei engraçado também! Rá-rá. É hilário que alguém que eu mal conheço me culpe por transformar as pessoas em *zumbis*? — Ela fez um gesto de aspas ao mencionar a palavra "zumbis". E voltou a chorar.

— Isso é horrível, Ximena — falei, mordendo a bochecha. — Sinto muito que ela tenha feito isso.

— Eu falei que nós vamos conversar com a Maya — disse Summer.

Fiquei olhando para ela.

— Para quê? — perguntei.

— Para dizer quão rude foi o que ela escreveu — respondeu Summer. — Como somos amigas da Maya, acho que podemos explicar como isso feriu os sentimentos da Ximena.

— Maya não vai se importar. Ela não vai, Ximena, acredite em mim. — Como explicar a ela? — Sinceramente, eu conheço Maya há anos, e, na cabeça dela, o bilhete não era sobre *você*. Era sobre Ellie. Ela só está chateada porque elas não andam mais juntas.

— Óbvio. Mas a culpa não é *minha*! — exclamou Ximena.

— Eu sei — falei —, mas Maya *não* sabe disso e só quer culpar alguém. Ela quer que tudo volte a ser como antes. E acha que as coisas mudaram por sua culpa.

— Isso é tão idiota! — disse Ximena.

— Eu sei — repeti. — É o mesmo que Savanna com raiva de mim por eu ter participado de um comercial de TV. Não faz sentido.

— Como sabe disso tudo? — perguntou Ximena. — Ela contou para você?

— Não!

— Você sabia do bilhete?

— Não!

Summer veio em meu socorro.

— E o que *Ellie* disse quando leu o bilhete de Maya? — perguntou.

— Ah, ela ficou uma fera. Ela e Savanna querem se vingar de Maya, postar algo supercruel sobre ela no Facebook ou coisa do tipo. Então Miles desenhou uma caricatura. Eles querem postar no Instagram.

Ximena fez um gesto com a cabeça indicando que Summer me entregasse uma folha de caderno dobrada, que eu abri. Ali estava um desenho grosseiro de uma garota (que obviamente era Maya) beijando um menino (que obviamente era Auggie Pullman). Embaixo da imagem estava escrito: "estranhos apaixonados."

— Espere, por que vão envolver Auggie nisso? — perguntou Summer, furiosa.

— Não sei — disse Ximena. — Miles só estava tentando me fazer rir. Todos estavam rindo como se tudo isso fosse uma espécie de grande piada. Mas eu não acho nada engraçado.

— Sinto muito mesmo, Ximena — falei.

— Por que Maya me odeia? — perguntou ela, triste.

— Você tem que deixar isso pra lá — aconselhei. — E não leve para o lado pessoal. Lembra que você me disse que eu precisava parar de me importar tanto com o que as pessoas pensam de mim? Você tem que fazer o mesmo. Esqueça o que Maya pensa de você.

— Eu não pedi para fazer parte do grupo da Savanna quando entrei na Beecher Prep — disse Ximena. — Eu não conhecia ninguém, não sabia quem era amigo de quem ou quem tinha raiva de quem. Savanna foi a primeira pessoa que foi legal comigo, só isso.

— É? — retruquei, erguendo o queixo e os ombros. — Isso não é bem verdade. Eu fui legal com você.

Ximena pareceu surpresa.

— Eu também fui legal com você — acrescentou Summer.

— O que foi? Agora até vocês estão se unindo contra mim? — questionou Ximena.

— Não, de jeito nenhum — respondeu Summer. — Só tentando fazer você entender o ponto de vista da Maya, só isso. Ela não é uma garota má, Ximena. Maya não faria mal a uma mosca. Ela está zangada com Ellie, e Ellie meio que tem sido cruel com *ela* ultimamente. É isso.

— Na verdade, Ellie não foi cruel — falei. — Ela só nos trocou por vocês. E tudo bem. Não me importo. Não sou a Maya.

Ximena cobriu o rosto com as mãos.

— Todo mundo me odeia? — perguntou, olhando para a gente por entre os dedos.

— Não! — respondemos ao mesmo tempo.

— *Nós* não, com certeza — disse Summer, oferecendo uma caixa de lenços a Ximena.

Ela assoou o nariz.

— Acho que não fui *muito* legal com ela de modo geral — falou, baixinho.

— Desenhos como este não ajudam — disse Summer, devolvendo a caricatura de Miles a Ximena.

Ela o pegou e rasgou em pedacinhos.

— Quero que saibam — começou — que eu jamais postaria isso. E falei para Savanna e Ellie não se atreverem a fazer comentários maldosos sobre Maya no Facebook nem nada parecido. Eu jamais faria cyber-bullying.

— Eu sei — disse Summer. Ela estava prestes a dizer mais alguma coisa quando ouvimos uma batida na porta.

A mãe da Summer enfiou a cabeça no quarto.

— Ei, meninas — falou, com cautela. — Tudo bem?

— Tudo bem, mãe — disse Summer. — Apenas drama de meninas.

— Charlotte, sua mãe acabou de ligar. Disse que você prometeu que estaria em casa em dez minutos.

Olhei meu telefone. Já eram seis e vinte!

— Obrigada — falei para ela. E então me virei para as meninas: — É melhor eu ir. Você vai ficar bem, Ximena?

Ela assentiu.

— Obrigada por ter vindo. Obrigada às duas por serem tão boas — disse. — Eu só queria muito conversar com alguém sobre isso, mas não podia falar com Savanna e Ellie, entendem?

Nós assentimos.

— É melhor eu ir para casa também — disse ela, se levantando.

Nós três atravessamos o corredor até a porta da frente, onde a mãe da Summer parecia estar tentando organizar os casacos.

— Por que essas carinhas tristes, meninas? — perguntou ela, animada. — Eu pensei que vocês estariam pulando de felicidade. Amanhã é o grande dia! Depois de todos os ensaios e do esforço que fizeram. Mal posso esperar para ver vocês dançando!

— Ah, sim — respondi, assentindo. Olhei para Summer e Ximena. — É muito empolgante.

As duas começaram a sorrir.

— Sim — disse Ximena.

— Na verdade estou meio nervosa — falou Summer. — Nunca dancei para uma plateia!

— Você só precisa fingir que eles não estão ali — respondeu Ximena. Ninguém diria que ela estivera chorando dois minutos antes.

— É um ótimo conselho — disse a mãe da Summer.

— Foi o que eu disse também! — me intrometi.

— Seus pais estarão lá, Ximena? Estou ansiosa para conhecê-los no jantar — comentou ela.

— Sim — respondeu Ximena, educada, sorrindo com a covinha a todo vapor agora.

— Todos os pais se sentarão juntos no jantar — falei. — Com a Sra. Atanabi e o marido dela.

— Que bom. Estou ansiosa para encontrar todo mundo.

— Tchau, Summer. Tchau, Sra. Dawson — disse Ximena.

— Tchau! — falei.

Descemos as escadas até o hall de entrada juntas, Ximena e eu, e depois seguimos o quarteirão em direção à Main Street, onde ela viraria à esquerda e eu, à direita.

— Está se sentindo melhor agora? — perguntei, quando paramos na esquina.

— Sim — disse ela, sorrindo. — Obrigada, Charlotte. Você tem sido uma ótima amiga.

— Obrigada. Você também.

— Não. — Ela balançou a cabeça, mexendo nas franjas do meu cachecol. Ximena ficou olhando para mim por um tempo. — Sei que eu poderia ter sido mais legal com você algumas vezes, Charlotte. — Então me abraçou. — Me desculpe.

Tenho que dizer que realmente foi incrível ouvir isso dela.

— Tudo bem — falei.

— Vejo você amanhã.

— Tchau.

Passei pelos restaurantes na Amesfort Avenue, que estavam começando a encher de novo agora que o clima estava esquentando. Não conseguia parar de pensar no que Ximena tinha acabado de dizer. Sim, ela poderia ter sido mais legal comigo algumas vezes. Será que eu poderia ter sido mais legal com outras pessoas também?

Parei no sinal do grande cruzamento. Foi quando vi as costas de um homem de parca laranja embarcando num ônibus. Com um cão preto ao lado. O cachorro usava uma bandana vermelha.

— Gordy Johnson! — gritei, correndo atrás dele assim que o sinal abriu.

Ele se virou ao ouvir seu nome, mas as portas do ônibus se fecharam às suas costas.

Como a Sra. Atanabi nos desejou sorte

Nos estúdios do último andar do Carnegie Hall, onde a Sra. Atanabi nos preparou para a apresentação, havia um corredor com fotos emolduradas e programas de alguns dos grandes dançarinos que se apresentaram lá ao longo dos anos. Enquanto passávamos por aquele corredor em direção ao camarim, a Sra. Atanabi apontou para uma das fotos. Era uma imagem das Duncan Dancers, filhas de Isadora Duncan, numa pose muito dramática, com túnicas brancas. Datava de 3 de novembro de 1923.

— Vejam, parecem vocês três! — gorjeou ela, alegre. — Fiquem na frente do pôster para eu tirar uma foto — falou, pegando o telefone e apontando a câmera para nós.

Instintivamente, posamos perto da foto, na mesma pose das dançarinas: eu à esquerda, as mãos para o alto e o rosto virado para a direita; Summer à direita, as mãos para o alto e o rosto virado para a esquerda; e Ximena no meio, os braços estendidos à frente, olhando para a câmera.

A Sra. Atanabi tirou várias fotos, até ficar satisfeita, e então tirou uma de nós quatro — porque ela estava tão animada quanto a gente essa noite. Depois, corremos às risadas para a sala no fim do corredor, para vestir o figurino.

Não éramos as únicas a nos apresentar nessa noite. A banda de jazz e o coral dos alunos mais velhos já estavam ali. Dava para ouvir o som de trompetes, saxofones e outros instrumentos ecoando pelos corredores, e o coro fazendo aquecimento numa grande sala ao lado do nosso camarim.

A Sra. Atanabi nos ajudou com cabelo e maquiagem. Foi incrível como ela arrumou nossos cabelos com o mesmo penteado armado, alto e arredondado, com cachos na ponta voltados para cima, arrematado por uma nuvem de spray. Embora tivéssemos cabelos muito diferentes, a Sra. Atanabi conseguiu deixá-los idênticos!

Nós seríamos as últimas. A espera parecia muito longa! Ficamos o tempo todo de mãos dadas, tentando não entrar em pânico.

Quando enfim chegou nossa hora de entrar, a Sra. Atanabi nos levou até lá embaixo, nas coxias do auditório Stern. Espiamos a plateia pelas cortinas enquanto o coral terminava a última canção. Estava lotado! Não dava para distinguir o rosto de ninguém, porque estava muito escuro, mas era o maior auditório que eu já tinha visto — com balcões, arcos dourados e paredes de veludo!

A Sra. Atanabi nos fez assumir nossas posições atrás das cortinas: Ximena no meio, eu à esquerda e Summer à direita. Então nos encarou.

— Meninas, vocês se esforçaram tanto — sussurrou ela, a voz tremendo de emoção. — Jamais serei capaz de agradecer o bastante por todo o tempo que vocês dedicaram para dar vida a meu espetáculo. Sua energia, seu entusiasmo...

A voz dela falhou. Ela secou uma lágrima, animada. Se não tivéssemos lido o artigo sobre o espetáculo, poderíamos não ter entendido por que tudo aquilo era tão importante para ela. Mas sabíamos. Nunca lhe contamos que havíamos encontrado aquele artigo. Que sabíamos sobre sua amiga de infância. Concluímos que, se ela quisesse que nós soubéssemos, teria nos falado. Mas conhecer esse pedacinho da sua história de algum modo tornou a dança e tudo que tinha a ver com ela muito mais especial. Engraçado como todas as nossas histórias meio que se entrelaçam. A história de uma pessoa sempre cruza a história de outra.

— Estou tão orgulhosa de vocês, meninas! — sussurrou, beijando a testa de cada uma de nós.

A plateia estava aplaudindo o coral, que tinha terminado naquele momento. Enquanto os cantores voltavam para os bastidores pelas coxias, a Sra. Atanabi deu a volta até a frente do palco para esperar que o Sr. Buzanfa a apresentasse, e nós nos posicionamos. Ouvimos a Sra. Atanabi apresentando as bailarinas e o número que estávamos prestes a dançar.

— Está na hora, meninas! — sussurrou Ximena quando a cortina começou a subir.

Esperamos a música começar. Cinco. Seis.

Cinco-seis-sete-oito!

É o shingaling, querida!

Como nós dançamos

Eu gostaria de poder descrever cada segundo daqueles onze minutos no palco, cada movimento, cada salto. Cada shimmy e giro. Mas é claro que não posso. Só o que posso dizer é que foi tudo ABSOLUTAMENTE PERFEITO. Ninguém perdeu a deixa ou errou. Basicamente, por onze minutos completos, parecia que estávamos dançando três metros acima do resto do mundo. Foi a experiência mais eletrizante, empolgante, cansativa, emocionante, divertida e incrível da minha vida, e enquanto caminhávamos para o grande final, com a luz projetada para o trecho *well let me tell you nobody, nobody* antes de entrar no shingaling que era a marca da Sra. Atanabi, uma variação inventada por ela, pude sentir a energia de toda a plateia aplaudindo no ritmo da música.

Nobody, nobody,
Nobody, nobody
Nobody, nobody...

E então terminamos. Acabou. Sem fôlego, sorrindo de orelha a orelha. Aplausos estrondosos.

Nós três nos curvamos em sincronia, e depois agradecemos individualmente. A plateia assoviou e gritou.

Nossos pais estavam nos esperando com flores. E minha mãe me deu um buquê extra, que entregamos para a Sra. Atanabi quando ela subiu no palco com a gente e agradeceu. Por um segundo eu desejei que todos os alunos do quinto ano que alguma vez tinham rido pelas costas da Sra. Atanabi pudessem vê-la agora, neste momento, como eu estava vendo. Em seu lindo vestido, seu coque perfeito — ela parecia uma rainha.

Como passamos o resto da noite

Um pouco mais tarde, depois de tirar nossos figurinos, encontramos nossos pais no salão de jantar, no andar de baixo. Enquanto abríamos caminho por entre as mesas redondas cheias de professores, outros pais e um monte de adultos que não conhecíamos, as pessoas nos parabenizavam e elogiavam nossa dança. Pensei: *Ser famosa é assim*. E adorei.

Nossos pais já estavam sentados à mesa quando chegamos lá, com a Sra. Atanabi e o marido dela. Houve uma breve salva de palmas deles quando nos sentamos, e então, basicamente, passamos o resto da noite conversando sem parar, destrinchando cada segundo da dança, em que ponto estávamos nervosas, com medo de não fazer um chute em particular, quando ficamos um pouco tontas depois de um giro.

Antes de servirem o jantar, o Dr. Jansen, diretor da escola, fez um breve discurso agradecendo a todos por terem comparecido ao evento beneficente e então pediu à Sra. Atanabi, assim como às professoras do coral e da banda de jazz, que se levantassem para mais uma salva de palmas. Ximena, Summer e eu vibramos o mais alto que pudemos. Depois ele falou de outras coisas, como metas financeiras e arrecadação, e assuntos tão chatos que eu mal podia esperar que acabasse. Mais tarde, depois que terminamos a salada, o Sr. Buzanfa fez um discurso sobre a importância de apoiar as artes na Beecher Prep, para que a escola pudesse continuar a nutrir o tipo de "talento" a que todos assistiram naquela noite. E dessa vez pediu que os alunos que haviam se apresentado se levantassem para mais uma salva de palmas. Ao redor do salão, as crianças da banda de jazz e do coral ficaram de pé com vários graus de disposição e timidez.

Nós três, porém, não tínhamos o menor traço de timidez ao nos levantar para mais uma salva de palmas. O que eu posso dizer?

Manda ver!

Quando o café estava sendo servido, os discursos já tinham acabado e as pessoas começaram a caminhar e interagir. Vi um casal se aproximar da nossa mesa, mas não consegui lembrar quem eram eles até Summer pular do assento para abraçá-los. Então eu soube. Os pais de Auggie. Eles deram um beijo na mãe da Summer e então deram a volta na mesa para vir a mim e a Ximena.

— Vocês estavam incríveis, meninas — disse a mãe de Auggie, docemente.

— Muito obrigada — respondi, com um sorriso.

— Você deve estar muito orgulhosa delas — falou o pai de Auggie para a Sra. Atanabi, que estava ao lado de Summer.

— Estou! — respondeu ela, radiante. — Elas se esforçaram tanto!

— Parabéns de novo, meninas — disse a mãe de Auggie, apertando de leve meu ombro antes de ir até a mãe da Summer.

— Mande um oi para Auggie por mim — gritei.

— Mandaremos.

— Espere, eram os pais do *Auggie*? — perguntou Ximena, baixinho. — Eles parecem astros de cinema.

— Eu sei — sussurrei de volta.

— O que vocês estão cochichando aí? — perguntou Summer, entrando no meio de nós.

— Ximena não sabia que eles eram os pais do Auggie — expliquei.

— Ah, os pais dele são *muito* legais — disse Summer.

— É realmente irônico — falou Ximena. — Eles são tão bonitos.

— Você já viu a irmã mais velha do Auggie? — perguntei. — Ela é *super*bonita. Poderia ser modelo. É uma loucura.

— Uau — exclamou Ximena. — Acho que pensei, não sei, que todos meio que se pareciam com Auggie.

— Não — falou Summer, com gentileza. — É como com seu irmão. Ele simplesmente nasceu assim.

Ximena assentiu lentamente.

Então pude ver que, por mais esperta que ela fosse, nunca tinha pensado nas coisas desse modo.

Como peguei no sono — finalmente!

Chegamos em casa bem tarde naquela noite. Eu estava supercansada enquanto tirava a maquiagem e me preparava para dormir. Mas aí, não sei por quê, não consegui pegar no sono. Todos os acontecimentos da noite se abatiam sobre mim como ondas fracas. Eu me sentia como se estivesse num barco, balançando com a maré. Minha cama flutuava num oceano.

Depois de quase meia hora rolando de um lado para o outro, peguei meu telefone da mesinha de cabeceira, onde estava carregando.

Alguém acordada?

Escrevi para Summer e Ximena.

Passava da meia-noite. Com certeza elas estavam dormindo.

Só queria q soubessem q acho vcs as 2 pessoas + incríveis do mundo e fico feliz q a gente tenha sido tão amigas nesses meses. Sempre vou me lembrar desta noite. É o shingaling, querida!

Coloquei o telefone de volta na mesinha de cabeceira e dei golpes de caratê no meu travesseiro para que ele ficasse confortável. Fechei os olhos, esperando que o sono viesse. Quando eu enfim estava adormecendo, ouvi o barulhinho de uma nova mensagem.

Não era de Ximena nem de Summer. Por mas incrível que parecesse, era da Ellie.

Oi, Charly, tenho certeza q vc está dormindo, mas meus pais acabaram de chegar do baile e disseram q vcs foram absoluta e incrivelmente maravi-

lhosas. Tô orgulhosa de vc. Queria ter ido ver vc dançar. Vc merece. Vamos tentar nos encontrar depois da aula na semana que vem. Saudade.

Parece bobeira, mas a mensagem dela me deixou muito feliz, e lágrimas encheram meus olhos na mesma hora.

Mto obrigada, Ellie!

Tb queria q vc estivesse lá. Adoraria encontrar vc semana que vem. Saudade tb. Boa noite.

Como Maya foi surpreendida e surpreendeu a todos nós

Na manhã seguinte, acordei me sentindo muito cansada e minha mãe me deixou levantar mais tarde. Vi que tanto Ximena quanto Summer tinham me mandado mensagem assim que acordaram.

Ximena Chin
Sinto a mesma coisa, Charlotte. Que noite!

Summer Dawson
Eu <3 vcs!

Não respondi porque sabia que elas estavam em aula. Perdi os três primeiros tempos e não vi nenhuma das duas até o almoço. Summer, como sempre, estava sentada com Auggie e Jack. E Ximena, como sempre, estava na mesa de Savanna. Por uma fração de segundo, eu estava indo dar oi para Ximena, mas a imagem de Maya de pé na frente daquele mesmo grupo ainda estava fresca em minha memória — e eu não queria dar a Ximena nem mesmo uma pontinha de chance de me desapontar com qualquer coisa que não fosse um oi amigável.

Então, acenei para ela e para Summer enquanto caminhava até minha mesa de sempre e me sentava ao lado de Maya. As meninas na minha mesa me perguntaram como tinha sido a noite anterior — algumas ficaram sabendo pelos próprios pais —, mas eu as poupei de muitos detalhes porque sabia que elas perderiam o interesse em trinta segundos. E foi exatamente o que aconteceu.

Não que eu pudesse culpá-las, na verdade.

A única coisa em que pensavam — na verdade, a *única* coisa sobre a qual elas queriam falar — era o bilhete que Maya havia entregado a

Ellie na Carvel. Aquele bilhete — que a essa altura já tinha sido lido em voz alta ou citado por quase metade dos alunos do quinto ano — acabou sendo o ingresso da Maya para um tipo de popularidade que ela nunca tinha experimentado. As pessoas estavam falando dela. As crianças mostravam quem ela era para alunos curiosos do sexto ano que também tinham ouvido falar do bilhete.

— Hoje sou a rainha dos perdedores! — disse a própria Maya.

Percebi que ela se sentia triunfante. Gostava da atenção que estava recebendo.

Eu tinha a intenção de dizer a ela como o bilhete tinha magoado Ximena e a feito chorar. Mas, por mais que pareça estranho, eu também não queria estragar a festa de Maya.

— Ei, você! — disse Summer, me dando uma cotovelada para que eu chegasse para o lado.

— Ei! — falei, surpresa por vê-la ali. Olhei para a mesa dela, mas Auggie e Jack já tinham ido embora.

— Oi, Summer — disse Maya, ansiosa. — Você ouviu falar do meu bilhete?

Summer sorriu e respondeu:

— Sim, ouvi!

— Você gostou? — perguntou Maya.

Notei que Summer também não queria ferir os sentimentos de Maya, então hesitou em responder.

— Onde estão Auggie e Jack? — interferi.

— Trabalhando em alguns bilhetes ultrassecretos para deixar no armário de Julian — respondeu ela.

— Um bilhete tipo o meu? — perguntou Maya.

Summer balançou a cabeça.

— Acho que não. Bilhetes de amor de alguém chamada Beulah.

— Quem é Beulah? — indaguei.

Summer riu.

— É muito difícil explicar.

Notei que Ximena estava nos observando do outro lado do refeitório. Sorri para ela, que retribuiu. Em seguida, para minha surpresa, ela se levantou e foi até nossa mesa.

Todo mundo na mesa parou de falar assim que a viu parada ali. Sem que fosse preciso pedir, Megan e Rand se afastaram e Ximena se sentou entre elas, de frente para Maya, Summer e eu.

Maya estava em choque. Seus olhos estavam arregalados e ela parecia quase assustada. Eu não tinha ideia do que ia acontecer.

Ximena entrelaçou as mãos diante de si, inclinou-se para a frente e olhou diretamente para Maya.

— Maya — começou —, só quero pedir desculpas se alguma vez eu disse ou fiz qualquer coisa que insultou você. Nunca foi minha intenção. Na verdade, acho você uma pessoa muito legal, superinteligente e interessante, e espero mesmo que a gente possa ser amiga de agora em diante.

Maya piscou, mas não disse nada. Ela estava, literalmente, de boca aberta.

— Enfim — disse Ximena, parecendo um pouco tímida agora —, só queria lhe dizer isso.

— Isso é tão gentil da sua parte, Ximena — disse Summer, sorrindo.

Ximena olhou para nós com aquela covinha no rosto.

— É o shingaling, querida! — disse ela, o que nos fez sorrir.

Então, tão depressa quanto tinha se sentado com a gente, ela se levantou e voltou para sua mesa. Espiei pelo canto do olho e vi Ellie e Savanna a observando. Assim que ela se sentou, as duas se aproximaram para ouvir o que ela tinha a dizer.

— Isso foi tão legal da parte dela, não foi? — comentou Summer para Maya.

— Estou chocada — respondeu Maya, tirando os óculos para limpá-lo. — Totalmente chocada.

Summer me lançou um olhar cúmplice.

— Maya, o que aconteceu com aquele jogo de pontinhos gigante que você estava fazendo? — perguntei.

— Ah, ele está aqui — respondeu ela, animada. — Eu falei que estava guardando para jogar quando você pudesse. Por quê? Quer jogar agora?

— Sim! — respondi. — Quero.

— Eu também — disse Summer.

Maya engasgou, pegou sua mochila e tirou dela um tubo de papel dobrado em três e um pouco amassado na parte de cima. Nós a observamos desdobrá-lo e estender com cuidado a folha de papel, que ocupou a mesa inteira. Quando a folha estava completamente aberta, todas olhamos para ela. Impressionadas.

Não havia um centímetro quadrado do papel gigantesco que não estivesse coberto de pontinhos. Linhas de pontos desenhados com perfeição e igualmente espaçados. Mas não *apenas* pontos. Lindos padrões conectados por espirais. Linhas onduladas que terminavam em espirais, ou flores ou raios de sol. Lembrava uma tatuagem, a forma como a tinta azul cobre por completo o braço de alguém, de um jeito que não se sabe onde uma tatuagem termina e outra começa.

Era o jogo de pontinhos mais incrivelmente lindo que eu já tinha visto.

— Maya, isso é incrível — falei, devagar.

— Sim! — disse ela, alegremente. — Eu sei!

Como algumas coisas mudaram e outras não

Aquela foi a última vez que Summer, Ximena e eu nos sentamos juntas a uma mesa de almoço. Ou qualquer mesa, aliás. Voltamos para nossos respectivos grupos. Ximena com Savanna. Summer e Auggie. Eu e Maya.

E, honestamente, por mim tudo bem.

Claro, talvez parte de mim — a parte que adora finais felizes — desejasse que as coisas tivessem mudado. Ximena e Ellie trocariam de mesa de repente e passariam a se sentar comigo, assim como Summer. Talvez, juntas, nós déssemos origem a uma nova mesa, com Jack, Auggie e Reid — e Amos! — na mesa ao lado da nossa.

Mas a verdade é que eu sabia que as coisas não mudariam muito. Sabia que seria como depois da noite na casa de Ximena. Como se tivéssemos feito uma viagem secreta juntas. Uma viagem da qual ninguém mais ficasse sabendo. E quando voltássemos de nossa jornada, cada uma fosse para sua casa. Algumas amizades são assim. Talvez até as melhores amizades fossem assim. As conexões estão sempre ali. Apenas são invisíveis aos olhos.

E é por isso que Savanna não tinha ideia de que Summer e eu conhecíamos sua amiga Ximena tão bem. E por que Maya não entendia o efeito que seu bilhete teve em mim e em Summer. Ou por que Auggie não sabia nada sobre *qualquer* coisa que estava acontecendo.

— Ele tem seus próprios problemas com que se preocupar — disse Summer certa vez, quando explicou por que ela nunca contara a Auggie que tinha sido selecionada para a apresentação da Sra. Atanabi. — Ele não precisa saber de todo esse drama das meninas.

Não quero dizer que não *houve* algumas mudanças.

À medida que nos aproximávamos dos últimos meses do quinto ano, percebi que Ximena estava fazendo um esforço maior para se relacionar com outras garotas além do grupinho das "populares". E agora, quando ela me vê no corredor, sempre me dá um oi caloroso — independentemente de estar ou não com Savanna. E embora Ellie e Maya nunca tenham se acertado, Ellie e eu nos encontramos depois da aula algumas vezes. Não que fosse como antes, claro. Mas já é alguma coisa, e vou aceitar.

Pequenos passos, como a Sra. Atanabi diria. Tudo começa com pequenos passos.

E a verdade é que, mesmo se Ximena, Savanna e Ellie de repente me *convidassem* para me sentar à mesa delas, eu não iria mais. Não pareceria certo. Em primeiro lugar, eu não queria receber um bilhete zangado de Maya, nem que ela me mostrasse os dentes do outro lado da sala. Mas, acima de tudo, porque eu tinha percebido algo no dia que ela desenrolou seu magnífico jogo de pontinhos na mesa do almoço: Maya tem sido minha amiga nos altos e baixos. Minha amiga *mesmo*. Todos esses anos. Do seu jeito desajeitado, leal e ligeiramente irritante. Ela nunca me julgou. Sempre me aceitou. E aquele grupo de meninas na minha mesa, aquelas com quem eu não tinha nada em comum? Bem, adivinhe só? Temos uma mesa em comum! E um jogo de pontinhos lindo que jogamos no almoço, com as canetas de cores diferentes que Maya designou a cada uma de nós. Que temos que usar, ou ela fica muito zangada.

Mas a Maya é assim. E isso nunca vai mudar.

Como falei com o Sr. Buzanfa

No último dia de aula, a assistente do Sr. Buzanfa, Sra. Garcia, me procurou no sétimo tempo e perguntou se eu poderia ir falar com ele logo depois da aula. Maya ouviu e começou a rir.

— Ops, Charlotte está em apuros — cantarolou.

Mas nós duas sabíamos que não era isso, e que provavelmente tinha a ver com a premiação do dia seguinte. Todos deduziam que eu fosse ganhar a medalha Beecher porque tinha organizado a campanha do agasalho, e em geral a medalha era entregue ao aluno que tinha feito mais serviços comunitários.

Bati na porta do Sr. Buzanfa depois do sinal do último tempo.

— Entre, Charlotte — disse ele, entusiasmado, fazendo sinal para que eu me sentasse na cadeira em frente à sua mesa.

Sempre adorei o escritório do Sr. Buzanfa. Tinha todos aqueles quebra-cabeças divertidos na beirada da mesa, e trabalhos de arte das crianças de todos os anos emoldurados e pendurados nas paredes. Na mesma hora notei o autorretrato de Auggie como um pato exposto atrás da escrivaninha.

E de repente entendi sobre o que era aquela reunião.

— Então, animada com a cerimônia de formatura de amanhã? — perguntou ele, cruzando as mãos sobre a mesa.

Assenti.

— Mal posso acreditar que o quinto ano está acabando! — respondi, incapaz de conter a alegria.

— É difícil mesmo acreditar, não é? Tem planos para o verão?

— Vou para o acampamento de dança.

— Que legal! Vocês três foram incríveis no evento de março. Pareciam dançarinas profissionais. A Sra. Atanabi ficou muito impressionada com o esforço de vocês e como trabalharam bem juntas.

— É, foi muito divertido — falei, animada.

— Que ótimo — disse ele, sorrindo. — Fico feliz que tenha sido um bom ano para você, Charlotte. Você merece. Tem sido uma presença alegre nesse colégio, e admiro como é sempre gentil com todos. Não pense que coisas assim passam despercebidas.

— Obrigada, Sr. Buzanfa.

— O motivo para eu querer dar uma palavrinha com você antes de amanhã — começou ele —, e espero que isso fique entre nós, é que eu sei que *você* sabe que, dentre as muitas honras que entregarei amanhã, uma é a medalha Beecher.

— O senhor vai dá-la ao Auggie — disparei. — Certo?

Ele pareceu surpreso.

— Por que diz isso?

— Todo mundo está presumindo que eu vou ganhar.

Ele olhou para mim com atenção. E então sorriu.

— Você é uma menina muito esperta, Charlotte — disse ele, gentilmente.

— Por mim tudo bem, Sr. Buzanfa.

— Mas quero explicar — insistiu ele. — Porque a verdade é que, se este tivesse sido um ano como outro qualquer, *você* provavelmente receberia a medalha, Charlotte. Você a merece... não só por causa de todo o trabalho que teve com a campanha do agasalho, mas porque, como acabei de falar, tem sido uma pessoa boa com todos. Ainda me lembro de como, desde o início, quando lhe pedi que fosse "colega de boas-vindas" do Auggie, você abraçou a missão com todo o seu coração, sem tergiversação.

Já mencionei o quanto eu adoro o fato de ele usar palavras grandes e presumir que nós entendemos?

— Mas, como você sabe, este ano foi tudo, *menos* comum. E quando estava pensando nesse prêmio, no que ele representa, percebi que pode ser mais do que serviços comunitários... não desmerecendo isso, *de forma alguma*.

— Não, entendo perfeitamente o que o senhor quer dizer — concordei.

— Quando olho para Auggie e todos os desafios que ele tem que enfrentar diariamente — disse ele, dando tapinhas no coração. — Fico admirado de como ele consegue simplesmente vir todos os dias. Com um sorriso no rosto. E quero que ele receba a confirmação de que este ano foi uma vitória. Que ele causou impacto. Quer dizer, o modo como as crianças se reuniram em volta dele depois do terrível incidente na reserva natural? Foi por causa *dele*. Ele inspirou essa gentileza nelas.

— Entendo perfeitamente o que o senhor quer dizer — falei.

— E quero que esse prêmio *seja* sobre gentileza — continuou ele. — A gentileza que oferecemos ao mundo.

— Totalmente — concordei.

Ele parecia verdadeiramente maravilhado com minha atitude. E acho que um pouco aliviado.

— Fico muito feliz que você entenda, Charlotte! Queria conversar com você antes, para que não ficasse decepcionada durante a cerimônia de amanhã, já que, como você disse, todos estão achando que você vai ganhar. Mas você não vai contar a ninguém, não é? Eu não quero estragar a surpresa para Auggie e sua família.

— Posso contar aos *meus* pais?

— Claro! Embora eu pretenda ligar pessoalmente para eles hoje à noite para lhes dizer como estou orgulhoso de você neste momento.

Ele se levantou e estendeu o braço por cima da mesa para apertar minha mão, então apertei a dele.

— Obrigado, Charlotte.

— Obrigada ao senhor, Sr. Buzanfa.

— Vejo você amanhã.

— Tchau.

Comecei a caminhar em direção à porta, mas então aquela ideia surgiu em minha cabeça, completamente formada. Não sei nem de onde veio.

— Mas um prêmio *pode* ir para duas pessoas, certo? — perguntei.

Ele ergueu os olhos. Por um segundo, pensei ter visto uma pontinha de decepção no olhar dele.

— Em *pouquíssimas* ocasiões a medalha foi para uma dupla de alunos que fez um projeto de serviço comunitário *juntos* — respondeu, coçando a testa. — Mas no caso de Auggie e você, acho que ambos receberiam por motivos diferentes.

— Não, não estou falando da gente — interrompi. — Acho que *Summer* deveria ganhar o prêmio.

— Summer?

— Ela foi uma *grande* amiga de Auggie o ano inteiro — expliquei. — E não porque o senhor *pediu* a ela que fosse do comitê de boas-vidas, como pediu a mim e ao Jack. Ela simplesmente virou amiga dele! Foi o que o senhor acabou de falar sobre gentileza.

O Sr. Buzanfa assentiu, como se de fato estivesse prestando atenção ao que eu dizia.

— Quer dizer, eu fui *legal* com Auggie, mas Summer foi *boa*. Tipo legal elevado à décima potência ou algo assim. Entende o que quero dizer?

— Entendo perfeitamente o que você quer dizer — respondeu ele, sorrindo.

Assenti.

— Que bom.

— Fico muito grato por você me dizer tudo isso, Charlotte. Você me deu muito em que pensar.

— Legal.

Ele estava olhando para mim e assentindo devagar, como se debatesse algo mentalmente.

— Mas deixe-me perguntar uma coisa — falou, fazendo uma pausa, como se procurasse as palavras certas. — Você acha que *Summer* ia querer uma medalha só por ser amiga de Auggie?

No momento em que ele falou aquilo, entendi o que ele queria dizer.

— Ah! — exclamei. — Espere. O senhor tem razão. Ela não ia querer.

Por algum motivo, a imagem de Maya mostrando os dentes para a mesa de Savanna do outro lado da sala me veio à mente.

Amizades definitivamente não têm a ver com medalhas.

— Mas me permita pensar sobre isso esta noite — disse ele, levantando-se.

— Não, o senhor está certo — respondi. — Está bom do jeito que o senhor pensou.

— Tem certeza?

Assenti.

— Mais uma vez, obrigada, Sr. Buzanfa. Nos vemos amanhã.

— Até amanhã, Charlotte.

Nós apertamos as mãos de novo, mas dessa vez ele o fez com as duas mãos.

— Só para você saber — começou ele —, ser legal é o primeiro passo para ser gentil. É um belo começo. Estou extremamente orgulhoso de você, Charlotte.

Talvez ele soubesse disso, talvez não, mas, para alguém como eu, palavras como essas valem todas as medalhas do mundo.

Como Ximena arrasou no discurso

Bom dia, Dr. Jansen, Sr. Buzanfa, Reitor Rubin, colegas alunos, funcionários, professores e pais.

Estou honrada de ter sido convidada a fazer o discurso de abertura em nome do quinto ano. Ao olhar em volta e ver todos esses rostos felizes, sinto-me sortuda por estar aqui. Como alguns de vocês sabem, este é meu primeiro ano na Beecher Prep. Não vou mentir: a princípio fiquei um pouco nervosa de vir para cá! Sabia que algumas crianças estavam aqui desde o jardim de infância, e fiquei com medo de não fazer amigos. Mas acontece que muitos dos meus colegas de turma também eram alunos novos, feito eu. E mesmo as crianças que estavam aqui havia um tempo, bem, o ensino fundamental é novidade para todo mundo. Definitivamente, foi uma experiência enriquecedora para todos nós. Com algumas topadas no caminho. Alguns erros e acertos. Mas foi uma jornada maravilhosa.

Este ano, fui convidada a participar de uma apresentação de dança coreografada pela Sra. Atanabi para o baile beneficente da Beecher Prep. Foi uma experiência maravilhosa para mim. Minhas companheiras de dança e eu nos esforçamos muito para aprender a dançar juntas, como se fôssemos uma pessoa só. Foi preciso muito tempo. E confiança. E talvez vocês não saibam, que, por já ter estudado em muitas escolas diferentes ao longo dos anos, para mim nem sempre é fácil confiar nas pessoas. Mas realmente aprendi a confiar nessas meninas. Percebi que podia ser eu mesma com elas. E serei sempre grata por isso.

Acho que o que mais desejo para o próximo ano, meus caros colegas, é estabelecer essa confiança com todos vocês. Minha esperança é de que, quando começarmos o sexto ano, mais velhos e sábios, todos nós aprendamos a confiar um nos outros o bastante para podermos ser nós mesmos e aceitar os demais pelo que eles *realmente* são.

Obrigada.

Como, enfim, me apresentei

No dia que vi Gordy Johnson pegando um ônibus, mandei mensagem para Summer e Ximena, e todas ficamos muito contentes de saber que ele estava vivo e bem. Porém, havia tanta coisa acontecendo na época que não tivemos oportunidade de falar muito sobre isso. Ficamos animadas, de olho esperando avistá-lo de novo em algum lugar da vizinhança, mas isso nunca aconteceu. Ele se fora. Mais uma vez.

Só voltei a vê-lo no início de julho. De repente ali estava ele de novo, sentado sob o toldo do supermercado A&P, tocando em seu acordeão as mesmas músicas de sempre, o labrador preto deitado à sua frente.

Fiquei olhando para ele por alguns minutos. Estudei seus olhos abertos, me lembrando de como eles me assustavam. Vi seus dedos apertando as teclas do acordeão. Um instrumento tão misterioso para mim. Ele estava tocando "Those Were the Days". Minha música favorita.

Quando terminou, fui até ele.

— Oi — falei.

Ele sorriu na minha direção.

— Olá.

— Fico feliz por você estar de volta!

— Obrigado, senhorita!

— Para onde você foi?

— Ah, bem — disse ele. — Fui passar um tempo com a minha filha no sul. Esses invernos de Nova York estão se tornando muito difíceis para meus ossos velhos.

— Com certeza foi um inverno bem frio — falei.

— Com certeza!

— O nome da sua cadela é Joni, não é?

— É, sim.

— E o seu é Gordy Johnson?

Ele inclinou a cabeça.

— Sou tão famoso a ponto de você saber meu nome? — perguntou ele, rindo.

— Minha amiga Summer Dawson conhece você — respondi.

Ele ergueu a cabeça, tentando se lembrar de quem eu estava falando.

— O pai dela era militar — expliquei. — Ele morreu há alguns anos. Sargento Dawson.

— Sargento Dawson! — disse ele. — Claro que me lembro dele. Um homem glorioso. Que notícia triste. Eu me lembro bem daquela família. Diga à menininha que mandei um oi, ok? Ela era uma criança muito doce.

— Vou dizer — respondi. — Nós tentamos encontrar você. Summer e eu ficamos preocupadas quando você não apareceu mais por aqui.

— Ah, querida. Vocês não precisam se preocupar comigo. Eu me viro bem. Não sou mendigo nem nada. Tenho uma casa afastada do centro. Só gosto de ter algo para fazer, de sair com Joni. Pego o ônibus expresso de manhã na porta do meu prédio. Desço no ponto final. É uma boa viagem. Venho aqui por hábito, sabe? Há boas pessoas aqui, como o Sargento Dawson. Gosto de tocar para elas. Você gosta de música?

— Gosto!

— Bem, é por isso que estou aqui tocando, menina! — disse ele, animado. — Para alegrar o dia das pessoas.

Assenti, feliz.

— Está bem — falei. — Obrigada, Sr. Johnson.

— Pode me chamar de Gordy.

— A propósito, meu nome é Charlotte.

— É um prazer conhecê-la, Charlotte.

Ele estendeu a mão. Eu a apertei.

— Tenho que ir agora. Foi bom falar com você.

— Tchau, Charlotte.

— Tchau, Sr. Johnson.

Enfiei a mão no bolso, peguei uma nota de um dólar e a coloquei no estojo do acordeão.

Fush.

— Deus abençoe a América! — disse Gordy Johnson.

www.intrinseca.com.br

1ª edição	NOVEMBRO DE 2015
reimpressão	JANEIRO DE 2017
impressão	GEOGRÁFICA
papel de miolo	PÓLEN SOFT 70G/M²
papel de capa	CARTÃO SUPREMO ALTA ALVURA 250G/M²
tipografias	GOUDY OLD STYLE E MOTTER CORPUS